Chère lectrice,

En ce mois de mars, alors que nous attendons toutes avec impatience les premiers signes du printemps, n'est-ce pas le moment de se laisser emporter loin, très loin, quelque part où le soleil brûle aussi fort que la passion ? Cette passion qui va bouleverser la vie de nos héroïnes…

Je vous propose de vous emmener au cœur de l'océan Indien, sur cette petite île paradisiaque où Nicolaï Baranski, le si séduisant héros de *La mariée insoumise* (Michelle Smart, Azur n° 3445) a entraîné Rosa, son épouse de convenance, pour la convaincre par tous les moyens de renoncer à divorcer. Ce qu'il n'avait pas imaginé, c'est que, dans ce décor propice à l'amour, la passion les emporterait…

N'oubliez pas non plus de vous plonger dans le dernier tome de notre merveilleuse trilogie Le destin des Bryant. Dans *Irrésistible tentation* (Kate Hewitt, Azur n° 3453), c'est au tour d'Aaron, l'aîné et le plus mystérieux des frères Bryant, de découvrir l'amour auprès de Zoe, cette femme exceptionnelle qui n'a pas peur de lui tenir tête.

Très bonne lecture !

La responsable de collection

Un séducteur pour amant

*

Un aveu impossible

MIRA LYN KELLY

Un séducteur pour amant

collection *Azur*

éditions H**HARLEQUIN**

Collection : Azur

Cet ouvrage a été publié en langue anglaise
sous le titre :
ONCE IS NEVER ENOUGH

Traduction française de
ANNE BUSNEL

HARLEQUIN®
est une marque déposée par le Groupe Harlequin

Azur® est une marque déposée par Harlequin S.A.

ÉDITIONS HARLEQUIN
83-85, boulevard Vincent Auriol, 75646 PARIS CEDEX 13.
Service Lectrices — Tél. : 01 45 82 47 47
www.harlequin.fr

ISBN 978-2-2803-0655-3 — ISSN 0993-4448

Prologue

— Donc, tu voudrais une aventure tiède et diluée, comme ton café, alors qu'elle pourrait être torride et corsée ? lança Maeva.

Nicole fixa le ravioli chinois coincé entre deux baguettes pointé vers elle d'un geste accusateur, avant de croiser le regard bleu lavande de sa meilleure amie, assise face à elle à la table du restaurant.

— D'abord, nous parlons d'une aventure hypothétique, répliqua-t-elle. Et pour ta gouverne, sache que je ne prends pas mon café tiède et dilué. Je veux qu'il ait de la saveur, sans être trop fort sinon il devient amer. Et je l'adoucis d'un trait de lait pour éviter de me brûler.

Maeva émit un ricanement sarcastique.

— Du lait écrémé, je parie ! Nikki, je te rappelle que nous parlons d'un fantasme. Rien à voir avec la vraie vie. Il s'agit juste d'un jeu pour passer la pause déjeuner entre copines. Donc il me semble que dans le choix du partenaire imaginaire d'une unique nuit, tu pourrais exiger quelque chose d'un peu intense, épicé. Un café corsé avec… un nuage de chantilly sur le dessus ! s'anima brusquement Maeva sous le coup de l'excitation.

Quelques clients lui jetèrent un regard circonspect.

— Du calme, fit Nicole en riant. J'ai compris l'idée générale. Mais franchement, ça ne m'intéresse pas trop.

— C'est un *fantasme*. Bien sûr que ça t'intéresse ! Tout le monde a des fantasmes.

7

Un flot de souvenirs amers remonta dans la mémoire de Nicole : des reproches, le chagrin, le sentiment d'humiliation. Pour avoir voulu fonder son avenir sur une pierre bancale, elle avait tout perdu. Par deux fois.

Il n'y aurait pas de troisième.

Elle s'interdisait de rêver à présent, et ce n'était pas la peine de faire semblant ; même à la pause déjeuner avec sa meilleure amie.

— Non, vraiment, persista-t-elle. Les émotions fortes, très peu pour moi.

— D'où ce choix insipide d'un homme au physique banal, gentil et sincère, ayant de la conversation. Franchement, c'est si plan-plan !

— J'aime ma vie actuelle, mon métier, mon appartement, et j'ai les meilleurs amis du monde. Je ne vois pas bien ce que je pourrais vouloir de plus. Et arrête d'agiter ton ravioli sous mon nez, sinon je le mange !

En souriant, Maeva goba son ravioli à la crevette. Elle prit son temps pour le savourer, avant de remarquer d'un ton plus sérieux :

— Nikki, ça fait quand même trois ans. La solitude ne te pèse jamais ?

Nicole ravala le « non » tout prêt qu'elle avait sur le bout de la langue, et qui tout à coup ne voulait plus sortir.

Elle se mentait depuis trop longtemps. Elle ne voulait pas penser au silence oppressant qui retombait parfois dans son appartement, ni au joli coin repas installé devant la baie vitrée, qu'elle n'utilisait jamais de peur de fixer la chaise vide face à la sienne.

Maeva retomba contre le dossier de son siège avec un soupir repu.

— J'aurais dû te laisser le dernier ravioli !

— Ça n'a rien de pathétique, assura Nicole, qui avait commencé à empiler leurs assiettes vides pour dégager la table. C'est juste que je n'ai pas envie de démarrer une relation.

— Oui, mais…

L'air de *Hot for Teacher* de Van Halen coupa la parole à Maeva, signalant que son frère l'appelait sur son portable.

« Sauvée par le gong ! » songea Nicole.

Son amie devait partir en voyage professionnel le lendemain. Son protecteur de frère allait sans doute l'accaparer une bonne vingtaine de minutes pour la bombarder de recommandations en tous genres : ne pas oublier d'éteindre la cafetière avant de partir, ne laisser *personne* entrer dans la chambre d'hôtel, se méfier des inconnus qui offraient des bonbons…

Hélas, Maeva refusa l'appel d'une pression déterminée du pouce sur l'écran tactile. Une lueur diabolique s'alluma tout à coup dans ses yeux bleus.

— Oh ! je sais ! Je vais te caser avec Garrett !

Nicole s'étrangla avec la gorgée de vin qu'elle s'apprêtait à avaler. Sa serviette en papier pressée sur la bouche, les yeux noyés de larmes, elle se mit à tousser en essayant désespérément de récupérer quelques molécules d'oxygène dans ses poumons.

— Quoi ? gémit-elle enfin, à demi asphyxiée. Et tu te prétends mon amie ?

— Mon frère pourrait t'apprendre un ou deux trucs sur les relations légères et désinvoltes, tu sais.

— Ah oui ? Par exemple quel est l'antibiotique le plus efficace pour traiter la syphi…

— Eh, n'exagère pas ! coupa son amie avec un regard d'avertissement. Sa réputation de tombeur est usurpée.

— Je t'en prie ! On le surnomme « l'homme qui murmurait à l'oreille des filles ». J'ai lu son nom sur le mur des toilettes pour femmes dans un bar du centre-ville. Ma mère m'a mise en garde contre les types comme lui.

Maeva eut un petit rire qui trahissait autant d'affection que d'irritation vis-à-vis de son frère.

— De toi à moi, c'est Mary Newton qui a écrit son nom dans les toilettes, pour se venger qu'il l'ait repoussée quand elle s'est jetée à son cou. Tu n'as jamais rencontré Garrett, mais je t'assure que c'est quelqu'un de bien.

— Je n'en doute pas. En plus d'être un coureur de jupons invétéré, arrogant, autoritaire, et de surcroît obsédé par son boulot. Voyons, mais qui a bien pu me donner tous ces détails le concernant ? ajouta-t-elle, ironique.

— Bon, ça va, râla Maeva. Je plaisantais de toute façon. Jamais il ne sortira avec toi. Il s'interdit de toucher aux amies de ses sœurs.

Tant mieux, se dit Nicole, qui s'appliquait les mêmes restrictions. Ses ruptures passées lui avaient fait perdre de vue trop d'êtres chers, dont certains qu'elle considérait comme des membres de sa famille.

Maeva fit claquer ses doigts sous son nez, la tirant de ses pensées.

— Houhou ! Je voulais juste dire qu'il était temps pour toi d'envisager ton retour dans la grande foire aux célibataires. De tâter le terrain, de tremper le bout de l'orteil dans l'eau de la piscine pour voir si elle est bonne. Bref, tu m'as comprise. Tes relations précédentes étaient d'emblée très sérieuses, mais ce n'est pas une obligation. On peut sortir avec quelqu'un sans penser au lendemain, juste pour le plaisir, sans se prendre la tête. Si je te parlais de Garrett, c'est qu'il est passé maître dans cet art. Comme toi aujourd'hui, il est allergique à toute idée d'engagement.

Hum… La dernière fois que Nicole était partie à un rendez-vous galant dans ces dispositions d'esprit, elle avait fini avec une robe blanche qu'elle n'avait jamais portée et un compte en banque siphonné. Depuis, elle se cramponnait à son célibat. Chat échaudé craint l'eau froide, disait le dicton.

Bien sûr, avec le recul, elle estimait avoir eu de la chance d'échapper à ce mariage, qui se serait révélé désastreux ; de la chance aussi de choisir Chicago pour repartir de zéro, et surtout d'avoir fait la connaissance de Maeva un certain samedi, au club de gym.

Voyant que son amie se proposait de repartir à l'attaque, elle leva la main :

— Je te promets, si jamais je rencontre quelqu'un qui me fait craquer, que j'appellerai Garrett pour qu'il me prête son guide de la parfaite relation éphémère.

— Ah ah, très drôle ! ironisa Maeva.

— En attendant, il n'est pas question que j'aille glisser un orteil dans quelque piscine que ce soit !

1.

Miséricorde, mais c'était une langue qu'elle venait d'entrevoir !

Nicole détourna les yeux des amoureux en surchauffe qui étaient en train d'échanger un baiser vorace à quelques mètres d'elle, sur la terrasse de l'immeuble où devait se dérouler ce soir-là la fête organisée par son ami Sam. Elle s'empressa de reporter son attention sur les gratte-ciel environnants, dont les façades de verre et d'acier reflétaient les rayons du soleil couchant.

Elle était arrivée tôt pour aider aux préparatifs. Sam voulait célébrer le retour de son frère aîné, Jesse, qui revenait d'une tournée en Europe. Depuis un moment, elle était occupée à remplir des seaux à glace de canettes de bière, bouteilles de vin et autres cocktails quand les deux tourtereaux avaient fait irruption sur la terrasse. En la voyant, leurs rires essoufflés s'étaient tus brusquement. Nicole avait cru que l'endroit serait assez grand pour eux trois, le temps que les autres invités arrivent, mais elle s'était apparemment trompée…

La brise du soir lui apportait des chuchotements enfiévrés qui n'étaient pas destinés à toutes les oreilles. Des mots doux, intimes, et des promesses du genre de celles qu'elle s'était juré d'oublier. Du coup elle avait l'impression désagréable d'être dans la position d'un voyeur malsain…

Elle balança dans la poubelle le dernier emballage

vide, puis jeta un coup d'œil en direction de la porte. Les invités ne tarderaient plus maintenant. En général, ils arrivaient tôt pour admirer le coucher de soleil. De ce point de vue, on avait un panorama époustouflant sur la ville.

Un gémissement lascif lui fit lever les yeux au ciel. Elle aurait voulu se boucher les oreilles.

Elle but au goulot une petite gorgée de bière blanche citronnée et consulta son Smartphone pour la centième fois au moins.

Elle avait reçu un texto de sa mère, qui voulait savoir si elle avait quelque chose de prévu ce soir. Avec un soupir, Nicole posa le téléphone sur la table. Elle rappellerait demain. Pour l'heure, elle n'était pas d'humeur à subir les diatribes maternelles concernant l'importance de fonder une famille, son horloge biologique, son accomplissement personnel. Sa mère avait peut-être les meilleures intentions du monde, mais Nicole n'avait pas du tout envie d'entendre un de ses sermons bien culpabilisants.

Un autre gémissement. Plus fébrile, celui-ci. Elle risqua un regard en direction du couple. Oups ! Grave erreur : des mains se baladaient sur des corps de plus en plus enchevêtrés.

Elle se leva d'un bond, manquant renverser sa chaise, et fila droit vers la cage d'escalier.

Elle avait déjà dévalé une dizaine de marches, prête à envoyer à Maeva son premier texto de la soirée, quand elle se figea, les yeux rivés à sa main vide.

Son téléphone. Elle l'avait oublié sur la terrasse.

Elle jeta un regard hésitant vers le haut de l'escalier. Le coucher de soleil, elle s'en passerait, mais son téléphone était le prolongement d'elle-même. Ses contacts, ses rendez-vous, ses listes de courses, ses mp3… Il fallait qu'elle retourne le chercher. Sauf qu'elle n'en avait pas du tout envie.

Si elle attendait un peu, les deux tourtereaux auraient

peut-être le temps de finir leur affaire ; elle pourrait alors rejoindre la terrasse sans se sentir obligée de se faire passer pour une aveugle égarée ou d'avoir à entamer dès le lendemain une thérapie intensive pour syndrome de stress post-traumatique.

Combien de minutes s'étaient-elles écoulées ? Elle n'en avait aucune idée puisqu'elle regardait toujours l'heure sur son joli Smartphone à coque rose. Qui avait besoin d'une montre au XXIe siècle ?

Cela devenait ridicule : elle avait besoin de son téléphone. La main sur la rampe, elle pivota, puis posa un pied incertain sur la marche supérieure…

Au bas de l'escalier, la porte qui communiquait avec l'appartement s'ouvrit. Nicole se détendit. Avec un peu de chance, c'était Sam, et elle l'enverrait chercher ce maudit téléphone.

L'homme qui montait les marches n'était pas un blond longiligne en T-shirt et treillis, mais un grand costaud en jean et chemise blanche, qui semblait avoir du mal à tenir dans l'escalier étroit en raison de sa phénoménale largeur d'épaules.

Un amateur de coucher de soleil, sans doute. Il valait mieux le prévenir de ce qui l'attendait sur la terrasse.

Avant d'avoir réussi à formuler la phrase d'avertissement dans sa tête, Nicole se retrouva nez à nez avec un visage sympathique au menton carré, surmonté de courtes boucles brunes et illuminé d'un regard bleu électrique qui la foudroya.

Qui est-ce ? se demanda-t-elle. Elle ne le connaissait pas, mais aurait juré que…

L'inconnu s'immobilisa à sa hauteur. Le passage était vraiment exigu.

14

— Vous montez ou vous descendez ? s'enquit-il avec un sourire ravageur.

— Eh bien… Il faudrait que je remonte, soupira-t-elle en jetant un regard nerveux vers le haut. J'ai oublié mon téléphone sur la table de la terrasse, mais… je n'ose pas y retourner.

— Ah bon ? Pourquoi ?

— Il y a des gens…

Au souvenir de la scène dont elle avait été témoin, un petit frisson de dégoût la secoua. L'inconnu se rembrunit aussitôt et, la mine concernée, posa sa large main sur son épaule dans un geste qui se voulait rassurant.

— Ne vous inquiétez pas. Je vais régler ça.

Puis, sans plus attendre, il reprit son ascension d'un pas déterminé. Nicole comprit alors sa méprise : sans doute croyait-il qu'elle avait été importunée.

— Oh non, attendez ! cria-t-elle. Ce n'est pas ce que…

— Allez rejoindre Sam, je m'occupe du reste, coupa-t-il d'un ton ferme.

— Vous ne comprenez pas ! Ils… ils…

Voyant qu'il ne l'écoutait pas et imaginant déjà la scène embarrassante qui suivrait s'il atteignait la terrasse, Nicole s'exclama :

— Ils forniquent !

Seigneur… C'était sorti comme ça, pouf ! L'inconnu s'immobilisa de nouveau, quelques marches avant le palier, puis baissa sur elle un regard interloqué.

— Pardon ?

Le cœur battant, Nicole gravit les marches deux à deux et le rejoignit, à bout de souffle. Cela n'avait rien à voir avec l'effort. Elle était capable de courir un semi-marathon, pourvu qu'il y ait un écran devant le tapis de course et une saison de *Game of Thrones* dans le lecteur de DVD. Elle était juste terriblement gênée et voulait éviter que ce type ultra-protecteur jette un quidam du haut du toit sur un malheureux quiproquo.

— J'ai fui la terrasse parce qu'ils étaient en train de… de se tripoter, là-haut, bredouilla-t-elle en rougissant. Personne ne m'a importunée. Je suis désolée, je… mais merci quand même de…

L'expression de l'inconnu se modifia et elle vit défiler dans ses yeux la surprise et le soulagement, puis l'amusement, et enfin un intérêt croissant pour sa personne, qui réveilla en elle un écho timide. Qu'elle se hâta de refouler.

Un cri étranglé, du genre de ceux qui signalent l'imminence de l'extase, leur parvint de la terrasse. Nicole sentit ses joues s'enflammer de plus belle.

— Nom d'un chien ! grommela le beau brun.

Soudain, en dépit de son malaise, Nicole trouva la situation excessivement cocasse. Elle éclata de rire, se boucha les oreilles.

— Mon téléphone ! soupira-t-elle. Il faut vraiment que je le récupère. Si vous allez me le chercher, je vous ferai un gâteau, promis.

Ou plutôt *Maeva* lui ferait un gâteau — c'était de bonne guerre. Si cette dernière avait été présente, rien de tout cela ne serait arrivé.

— Un gâteau ?

— S'il vous plaît !

— Attention : en ce qui concerne les gâteaux, je suis très exigeant. Ma sœur a placé la barre très haut. Je vous propose autre chose : je m'occupe d'expliquer aux deux exhibitionnistes les règles de la pudeur et pendant ce temps, vous allez récupérer votre téléphone. D'accord ?

Ce type ne savait pas ce qu'il ratait : les gâteaux de Maeva étaient juste à tomber. Mais tant pis pour lui. Grâce à sa solution, elle aurait son téléphone, son coucher de soleil *et* un gâteau. Parce qu'elle demanderait à Maeva de lui en faire un de toute façon.

— D'accord.

Après quelques toussotements réprobateurs et un échange assez vif, les deux amoureux excités se retirèrent, penauds. Nantie de son précieux téléphone, Nicole rejoignit le valeureux défenseur de la décence face à la rambarde de bois tiédie par les derniers rayons du soleil.

— J'avoue que j'ai été tenté de sortir un calepin et un crayon pour prendre des notes, commenta-t-il à mi-voix.

Nicole secoua la tête, mais ne put s'empêcher de sourire.

— Ne vous inquiétez pas, je vous en aurais donné une photocopie. Même si notre relation est un peu jeune pour oser ce genre de plaisanterie.

— Sans doute, approuva-t-elle, de plus en plus amusée.

— C'est même sûr, à en juger par votre délicieuse façon de rougir.

Elle détourna les yeux vers le ciel qui, à l'ouest, s'était paré de lueurs ambrées. Le spectacle était magnifique. Une musique languide sortait des haut-parleurs disposés sur la terrasse ; elle parvenait à atténuer le bourdonnement de la circulation, qui montait des rues en contrebas. L'instant était paisible, serein.

L'inconnu au visage familier et elle demeurèrent côte à côte, silencieux, jusqu'à ce que la dernière goutte d'or liquide disparaisse sur l'horizon. Il laissa alors échapper un soupir de contentement.

— C'était beau, hein ? fit-elle, désireuse de casser l'atmosphère d'intimité qui s'était instaurée et commençait à la perturber un brin.

— Oui, magnifique.

— Vous étiez en manque de paysages poétiques, si je comprends bien ?

Il haussa ses larges épaules.

— En général, je suis hélas trop accaparé par mille détails de la vie quotidienne — le boulot en retard, les décisions à prendre — pour vraiment prendre le temps de profiter de ce genre de moments magiques. Cela faisait un moment que je vivais à cent à l'heure, et je suis content de pouvoir freiner un peu pour savourer les choses simples.

Il regardait droit devant lui, pensif. Il n'avait rien dit de particulièrement profond mais à sa manière de parler, comme s'il avait fait un aveu un peu à contrecœur, Nicole avait compris qu'il s'était livré en toute sincérité ; du coup, ses paroles provoquèrent une résonance en elle.

— Je comprends. Si l'on n'y prend garde, ces petits riens de la vie passent à toute vitesse ; et quand enfin on prend conscience qu'il est trop tard, ils ne paraissent plus aussi insignifiants.

— C'est exactement cela.

Il eut un rire bref, faussement détaché, mais son regard bleu vif, rivé au sien à présent, conservait un éclat sérieux.

— Et vous, qu'avez-vous raté dernièrement par négligence ou faute de temps ?

Leur conversation se chargeait d'une intensité inattendue. Pour la désamorcer, elle aurait dû lancer une plaisanterie, rétablir une distance entre eux ou carrément s'en aller. Sauf que, pour la première fois depuis trois ans, elle n'avait pas envie de se dérober ou de se réfugier dans un bavardage futile.

Au contraire, elle avait envie de prolonger le moment.

C'était fou. Elle ne connaissait pas cet homme. Et cependant, elle avait tout de suite éprouvé une impression de proximité avec lui. Ses paroles lui donnaient à réfléchir sur sa propre vie et ce qu'elle s'obstinait à éviter, par peur de complications futures.

— Vous avez vraiment raté tout ça ? plaisanta-t-il, comme les secondes s'écoulaient sans qu'elle parvienne à répondre. Eh bien, on dirait que nous avons tous deux grand besoin de couchers de soleil !

— Oui, on dirait, acquiesça-t-elle, soulagée qu'il lui offre ce répit.

Voilà que ses joues s'empourpraient de nouveau, trahissant la femme secrète qui se cachait sous cette peau de porcelaine et cette somptueuse chevelure rousse !

C'était une vision touchante dont il ne se lassait pas, et qui lui donnait envie de la faire rougir, encore et encore.

Sauf qu'il n'était pas venu pour draguer. C'était même la dernière chose qu'il avait en tête. Ce soir, il voulait simplement s'amuser, renouer avec ses vieux camarades de classe et… contempler un coucher de soleil ! Au moins un point du programme avait été respecté.

Pendant six ans, il avait fourni un travail acharné, avalé des sandwichs sans même prendre le temps de s'asseoir, passé des nuits entières à réviser. Maintenant, son diplôme en poche, il allait enfin souffler un peu. Vivre. Ne plus s'occuper des autres.

Quand il avait croisé cette jeune femme dans l'escalier, l'air perdu, il avait réagi au quart de tour. Après avoir élevé quatre sœurs, qu'il avait vues devenir adolescentes les unes après les autres, il était prompt à imaginer le pire dans les situations ambiguës. Par bonheur, en l'occurrence, il s'était trompé. Mais quand il avait enfin compris de quoi il retournait, il était déjà tombé sous le charme de la jolie rousse. Et pas seulement parce qu'elle appartenait au sexe opposé et possédait quelques attributs physiques certes infiniment plaisants.

Parce qu'ils s'étaient compris, en peu de mots.

Des éclats de voix et des rires en provenance de la cage d'escalier vinrent interrompre le cours de ses pensées :

— Eh, regardez qui est là ! lança une voix surgie de son adolescence.

Un petit groupe fit irruption à l'autre bout de la terrasse. Même de loin, il reconnut des visages qu'il n'avait pas vus depuis une éternité : Joey, Rafe, Mitch…

— Tiens, un revenant ! cria ce dernier.

— Salut, mon vieux ! Sam nous a dit qu'on te trouverait là-haut, mais je ne voulais pas le croire.

— Qu'est-ce que tu deviens ?

Ses vieux potes parlaient tous en même temps en s'approchant de lui.

— Eh bien, quel accueil ! lui murmura la belle rousse dont les yeux noisette pétillaient.

— Oui, ça faisait longtemps qu'on ne s'était pas croisés, admit-il en accueillant ses amis d'un large sourire.

— Je vais vous laisser rattraper le temps perdu, alors.

A cet instant, son téléphone à la coque rose sonna dans sa main. Comme elle faisait mine de se détourner, il la prit par le coude, dans un mouvement impulsif. Elle se figea. Elle posa le regard sur sa main, avant de remonter sur son visage.

— Merci d'avoir admiré ce coucher de soleil avec moi.

— De rien. C'était un plaisir, chuchota-t-elle.

Elle recula. Il laissa retomber sa main et la regarda s'éloigner en direction de l'escalier, tandis que la petite bande faisait cercle autour de lui.

Quelqu'un lui asséna une claque amicale sur l'épaule :

— Sacré Garrett, tu n'as pas changé ! Tu n'es pas arrivé depuis un quart d'heure que ta prochaine victime est ferrée. Respect, mon vieux.

Garrett Carter considéra ses anciens camarades et leurs mines égrillardes. Partagé entre l'amusement et la désolation, il secoua la tête.

Non, pitié ! Ça n'allait pas recommencer comme au lycée !

2.

Le téléphone soudé à l'oreille, Nicole se réfugia dans le petit recoin au bas de l'escalier, à côté de la porte de l'appartement. Son cœur battait la chamade.

— Maeva, je crois que je viens de glisser un orteil dans ta fameuse piscine.

La voix stridente de son amie retentit dans son tympan :

— Quoi ? Oh seigneur, raconte, raconte !

Nicole n'eut le temps de prononcer que quelques phrases avant d'être interrompue :

— Stop, stop, stop ! Plante-moi le décor, donne-moi du détail. Et je ne te parle pas de la température ambiante ou du nombre de mégots sur la terrasse. Je te parle du type. Quel degré sur l'échelle des beaux gosses ? Négligé dans le genre baroudeur sexy ou la classe totale ? La taille, le gabarit, les atouts, je veux tout savoir. Et ensuite tu me diras jusqu'où tu as plongé l'orteil. Oh bon sang, pourquoi faut-il que je sois coincée à Denver !

Nicole regarda son téléphone en regrettant tout à coup de ne pas être passée par Skype. Maeva avait l'air aussi fébrile que si elle venait de passer deux nuits blanches. Elle aurait payé cher pour voir sa tête.

Elle s'écarta pour laisser passer un flot d'invités qui rejoignaient la terrasse.

— Calme-toi. Et ton boulot ? Où en sont les négociations ?

— Le type, Nikki ! Je ne vais pas te supplier, quand même !

— Bon, d'accord. C'est sûr qu'il est du genre plaisant à regarder. Plus d'un mètre quatre-vingt, beau, mais dans un style plutôt sauvage. Et ses yeux… Mon Dieu, quand il te regarde, c'est… indescriptible !

— Oh ! ça me plaît beaucoup. Continue.

Riant, Nicole s'adossa au mur pour raconter comment elle avait partagé un coucher de soleil incroyable avec son bel inconnu, tandis qu'à présent, des gens montaient sans discontinuer vers la terrasse. Elle s'était rencognée au maximum afin de poursuivre sa conversation.

Lorsqu'elle se tut, Maeva émit un glapissement incrédule :

— Quoi, c'est tout ? Je ne vois pas en quoi ton orteil est concerné dans cette histoire. Tu n'as pas mouillé un millimètre carré de chair !

Un peu vexée, Nicole ignora la moquerie — et le jeu de mots d'une subtilité douteuse.

— Je n'ai pas dit que je lui avais sauté dessus ! C'était juste un moment très sympa, tranquille, qui n'avait rien à voir avec ceux que je peux passer avec Sam, toi, ou les amis. Il n'y aura pas de suite, mais on aurait vraiment dit que quelque chose de spécial se passait.

— Mais pourquoi n'y aurait-il pas de suite, alors ? objecta son amie avec une logique implacable.

— Attends une seconde…

Nicole se renfonça une nouvelle fois contre le mur pour laisser passer une autre grappe de connaissances, qu'elle salua en agitant la main.

— Je ne pense pas qu'il soit du coin, de toute façon, expliqua-t-elle. C'est la première fois que je le vois. Mais il a l'air de connaître pas mal de gens ici. Ce doit être un ami de Jesse. Sans doute est-il seulement de passage à Chicago.

— Hum, récapitulons. Tu ne veux pas d'une histoire

sérieuse. Tu viens de rencontrer un beau mec sauvage avec qui il s'est passé « quelque chose », et tu as le sentiment qu'il est juste de passage. Personnellement la solution me paraît évidente : saute-lui sur la…

— O.K., compris, pas la peine de me faire un dessin ! coupa Nicole, les joues en feu une fois de plus. Mais non, vraiment.

Maeva exhala un soupir interminable traduisant le martyre d'une patience soumise à rude épreuve. Néanmoins Nicole devina qu'elle riait sous cape.

— Bon, très bien. Laisse échapper cette parfaite occasion et contente-toi de passer une triste soirée comme tant d'autres, puisque c'est ce que tu préfères.

Nicole leva les yeux vers le haut de l'escalier et la terrasse. Son inconnu et elle n'avaient passé que quelques minutes ensemble ; un instant de complicité passagère, rien de plus.

Un autre groupe d'invités commença à gravir les marches. Elle leur emboîta le pas et mit un terme à sa conversation avec Maeva, qui lui fit promettre plein d'autres potins sous peu.

Revenue sur le toit, elle observa la foule qui s'y pressait. Tout à sa conversation avec Maeva, elle n'avait pas pris conscience qu'autant de personnes étaient réunies pour Jesse et Sam. Avec tout ce monde, il n'était même pas sûr qu'elle réussisse à retrouver son bel inconnu. Et tant mieux d'ailleurs. Parce qu'elle n'était pas en quête d'une aventure.

Alors même qu'elle prenait cette résolution, elle se surprit à scruter les visages autour d'elle — ce qui faisait d'elle une sacrée menteuse. Et soudain elle l'aperçut. Là-bas, au fond. Il dépassait les autres de presque une tête.

Son regard bleu électrique accrocha le sien.

Sur ces entrefaites, une clameur joyeuse s'éleva sur la terrasse, et l'attention générale s'orienta vers la porte.

Jesse, l'invité d'honneur, venait de faire son apparition et s'était figé face à la cohue, un sourire stupéfait aux lèvres.

Nicole ne l'avait rencontré qu'une fois, deux ans plus tôt, juste avant son départ pour l'Europe, mais elle se souvenait qu'il était aussi sympathique que Sam, qui était en train de lui donner une accolade fraternelle.

Elle pivota de nouveau vers l'endroit où se trouvait quelques secondes plus tôt le beau brun aux yeux bleus. Mais les gens s'étaient déplacés et elle l'avait perdu de vue.

La fête battait son plein. La terrasse était bondée, l'ambiance survoltée, la musique entraînante. Garrett avait réussi à parler deux minutes avec son vieil ami Jesse, avant que ce dernier se fasse alpaguer par tout un groupe qui monopolisait désormais son attention. Ils étaient convenus de se revoir dans la semaine autour d'un verre, dans une atmosphère plus calme.

Garrett n'avait pas fait deux pas qu'il l'aperçut enfin. Nicole.

Il avait saisi son prénom au vol un peu plus tôt, lors d'une conversation animée au sein d'un groupe, et avait fait le lien avec la jolie rousse aux yeux en amande, sexy en diable dans son jean noir moulant et son petit haut à fines bretelles noué par un lacet sur la poitrine.

Depuis plusieurs heures maintenant, ils se tournaient autour, discutant à droite, à gauche, un verre à la main. Elle semblait très bien connaître certains de ses amis. Au gré des bavardages, d'anecdotes en vieilles histoires, il avait glané des informations superficielles sur elle, et ils avaient échangé des regards qui en disaient plus long que tous les mots.

A présent, toutes ces impressions et renseignements divers s'assemblaient pour dessiner l'image d'une personne qu'il trouvait très attirante. Une fille qui avait le rire facile, ne se prenait pas au sérieux, ne minaudait pas, ne s'écoutait pas parler, mais n'hésitait jamais à donner son avis. Une fille spontanée dont le sourire espiègle lui faisait un effet fou.

Oui, décidément elle l'attirait, mais pas comme les filles avec lesquelles il avait l'habitude de sortir. Avec elle, il n'avait pas envie d'une conversation frivole dans un bar, ou d'un dîner dans un restaurant branché ; bref, il n'envisageait pas une relation insipide comme celles auxquelles il s'était cantonné jusqu'à présent, faute de temps — parce qu'il se consacrait tout entier à son entreprise de construction, à ses études et à ses sœurs.

Non, avec Nicole, il voulait plus. Elle attisait sa curiosité, lui donnait envie de prendre son temps, pour tisser des liens sincères. Parler. Passer du bon temps. En toute simplicité.

Bien sûr, il avait aussi envie du reste. Pour voir s'il pouvait la faire rougir encore plus fort. La sentir cambrée sous lui et contempler cette somptueuse crinière rousse étalée sur l'oreiller, enroulée autour de ses poignets tandis qu'il s'enfoncerait en elle…

Une plaisanterie suivie d'un éclat de rire collégial lui fit tourner la tête vers un petit groupe, au sein duquel Nicole souriait. Soudain, comme si elle s'était sentie observée, elle leva les yeux vers lui. Ce n'était pas un regard aguicheur ou faussement timide, ni un de ces regards directs qui équivalent à une invite ouverte. Non, c'était un regard attentif, curieux et intéressé, qui reflétait également de l'incertitude.

Cela la rendit encore plus désirable à ses yeux.

La conversation roulait désormais sur les films qui avaient été tournés à Chicago, et c'était à qui en citerait le plus. Les titres fusaient dans un joyeux affrontement. Sans quitter Nicole des yeux, Garrett donna un imperceptible coup de menton pour désigner le coin plus tranquille, au bout de la terrasse, d'où ils avaient admiré le coucher de soleil un peu plus tôt.

Elle arqua les sourcils, se mordit la lèvre inférieure. Hésitante. Cela n'aurait pas dû l'exciter, et pourtant sa réaction physique fut immédiate. Puis il la vit jouer avec ce téléphone qu'elle ne lâchait jamais. Son pouce effleura l'écran tactile.

Elle envoyait un *texto* ?

Il pensa à sa sœur, qui passait obligatoirement par sa sacro-sainte meilleure copine pour prendre les décisions les plus vénielles — alors qu'elle pouvait tout aussi bien écouter ses conseils à lui. Nicole avait-elle la même manie ? Elle n'avait quand même pas *besoin* de demander son avis à quelqu'un pour savoir si elle pouvait avoir un petit aparté avec un homme ?

Certes, il n'avait pas l'intention d'en rester là, mais quand même !

Mais… qu'est-ce qu'elle fabriquait ?

Elle avait orienté légèrement le téléphone dans sa direction. Elle n'était quand même pas en train… de le prendre en *photo* ?

Les yeux rivés à son téléphone, n'écoutant qu'à demi le débat qui avait lieu — où s'arrêtait la banlieue de Chicago ? Pouvait-on inclure les classiques de John Hughes dans la liste ? —, Nicole était en train de cadrer son sujet quand le torse de celui-ci s'élargit soudain jusqu'à prendre toute la place sur l'écran.

Elle leva les yeux.

Il se tenait devant elle, encore plus proche que lorsqu'ils s'étaient croisés dans l'escalier. Seigneur… Il venait de la prendre en flagrant délit en train de le photographier, une image qu'elle s'apprêtait à envoyer à Maeva.

La honte !

Son regard remonta sur la chemise blanche et sur le petit triangle de peau visible dans l'échancrure du col. Elle s'obligea à continuer jusqu'à croiser son regard si bleu, qui lui parut cette fois dur comme l'acier. Son estomac se noua.

— Je peux savoir ce que vous faites ?

Oui, que faisait-elle au juste ? Elle essayait de prendre un inconnu en photo à la sauvette parce qu'il provoquait en elle des réactions inexpliquées. Parce que toute la soirée, elle avait été incapable de le quitter des yeux plus de dix secondes, et qu'elle avait besoin de l'avis objectif d'une personne de confiance, qui la connaissait au moins aussi bien qu'elle se connaissait elle-même. Autrement dit Maeva.

Bref, elle se conduisait comme une folle.

Une part d'elle mourait d'envie de prendre cette photo et d'appuyer sur la touche « Envoi ». Ce devait être écrit sur sa figure car une main se referma sur son poignet afin d'écarter le téléphone, d'un geste doux, mais très ferme.

Sous ses doigts, sa peau se réchauffa et un frisson remonta le long de son bras. Sensation agréable. Trop, sans doute. Depuis combien de temps un homme ne l'avait-il pas touchée plus de quelques secondes ? C'était tellement bon, ce contact qui se prolongeait. Elle ne s'était pas rendu compte à quel point cela lui avait manqué.

— Alors ?

Il s'était penché, son haleine lui caressait l'oreille, semblait donner vie à chaque centimètre carré de sa peau, qu'elle réchauffait agréablement. Les picotements se propagèrent à son cou, son épaule et son bras, jusqu'à venir se mêler à la sensation de chaleur qui se dégageait des doigts toujours serrés autour de son poignet.

— Ce que je fais ? Je n'en sais rien. En général, les hommes ne… Je veux dire, c'est moi qui… Enfin, vous êtes différent, bredouilla-t-elle en s'humectant les lèvres.

C'était peut-être parce qu'il avait voulu intervenir

d'emblée pour la défendre, alors qu'il ne la connaissait pas. Ou parce qu'il était bâti comme s'il gagnait sa vie en charriant des sacs de plomb, même s'il pouvait, comme elle s'en était rendu compte par bribes tout au long de la soirée, discuter d'économie mondiale et, le moment d'après, comparer les charmes de Cendrillon et de la princesse Leia. Ou parce qu'il savait prendre le temps de savourer les choses simples. Ou parce que ses blagues décalées la faisaient rire.

Peut-être aussi parce que, quand son regard bleu s'égarait sur ses cheveux roux, elle avait l'impression de *sentir* les doigts de cet homme s'enfouir dans ses boucles…

Est-ce que cela pouvait être aussi basique ? Près de lui, elle se sentait redevenir femme et prenait conscience de sa dimension virile. Personne ne lui avait fait cet effet depuis bien longtemps.

Un rire bas et charmeur monta de son large torse. Il relâcha la prise sur son poignet et ses doigts, avant de l'abandonner, remontèrent sur quelques centimètres de bras, dans une caresse légère.

— Vous aussi, vous êtes spéciale. Voilà pourquoi je vous propose que nous nous isolions un peu, pour tâcher de comprendre à quoi cela tient.

S'isoler ? Le cœur de Nicole s'emballa. Ce n'était plus un bout de l'orteil dans la piscine, là. Elle ne tâtait pas la température de l'eau, elle plongeait tête la première ! Et le plus effrayant dans tout ça, c'est que face à ces yeux d'un bleu profond, elle était très tentée.

Pourquoi Maeva n'était-elle pas là, juste au moment où elle avait le plus besoin de ses conseils et de son expertise ?

Une idée la frappa alors : elle n'avait pas du tout besoin de Maeva ! Elle savait déjà, à cent pour cent, ce que dirait son amie.

Ce type incarnait un de ces plaisirs simples qui lui manquaient depuis si longtemps. Il connaissait une bonne moitié des invités réunis ici ce soir et était manifestement apprécié. On pouvait donc raisonnablement parier sur le fait qu'il n'était pas un tueur en série. D'après ce qu'elle avait compris, il n'habitait pas en ville mais quelque part plus au nord. Par conséquent, il n'était pas question d'une histoire sérieuse entre eux.

Ce serait une brève rencontre. Dont elle avait de plus en plus envie à mesure que les secondes s'écoulaient.

Un sourire naquit sur ses lèvres.

— D'accord. Allons-y, acquiesça-t-elle.

3.

— D'accord. Allons-y.

Garrett avait eu sa réponse avant même que les mots ne franchissent les lèvres de la jolie rousse. Il avait vu ses yeux bruns s'adoucir, avait perçu le changement de climat entre eux, et son propre corps avait déjà réagi à l'annonce de sa victoire.

Il jeta un regard aux alentours. Déjà une demi-douzaine de paires d'yeux les observait. Bon, il aurait préféré une sortie plus discrète, mais il n'y pouvait pas grand-chose.

— Viens.

Il la prit par la main et l'entraîna vers la cage d'escalier. Si elle continuait de le dévisager, elle risquait moins de remarquer les regards curieux et les sourires entendus, tandis qu'ils s'éloignaient pour trouver un endroit plus tranquille.

Il avait entendu parler d'un petit café du quartier qui accueillait les clients jusqu'à tard. Il n'y avait jamais mis les pieds, mais c'était le moment.

Nicole s'arrêta au bas des marches, devant l'appartement :

— Tu veux dire au revoir à quelqu'un ?

— Non, c'est bon. J'appellerai Jesse demain. Et toi ? Avec un sourire un peu nerveux, elle secoua la tête.

— C'est parce que tu n'as pas envie que les gens nous voient partir ensemble ? demanda-t-il, en espérant bien qu'il ne s'agissait pas de cela.

— Non. J'ai vingt-six ans, pas seize ! C'est juste

que… ça ne me ressemble pas vraiment de faire ça, et je ne voudrais pas flancher au dernier moment.

Adorable… Garrett lui caressa la main d'un mouvement circulaire du pouce.

— Qu'est-ce qui pourrait te faire peur ? la taquina-t-il.

Elle rougissait si facilement. Il adorait ça. Son visage délicat prit une expression plus déterminée, mais il vit que le doute persistait en elle. Contre quoi luttait-elle donc ?

Il écarta une boucle rousse qui lui dansait devant les yeux, surprit l'éclat rose de sa langue alors qu'elle s'humectait la lèvre supérieure. Aussitôt une bouffée de désir l'envahit. Il eut envie de profiter de la relative intimité de la cage d'escalier, de l'éclairage faiblard et de cette bouche charnue qui commençait à l'obséder. Bon sang, cette fille était trop sexy ! Il allait l'emmener tout droit dans son lit.

Non, c'était trop tôt, s'intima-t-il. Elle n'était pas comme les autres. Mais alors que ses yeux noisette fouillaient les siens, il sentit ses bonnes résolutions faiblir. La douce pression de son corps souple qui venait se coller au sien acheva de les balayer.

— Ce qui me fait peur ? dit-elle dans un souffle. Ça !

Son haleine lui chatouilla le menton, juste avant qu'elle ne pose les lèvres sur les siennes. Sa langue goûta sa bouche, le temps d'un éclair. Cela suffit à vaincre l'homme qu'il voulait être pour faire triompher celui à qui elle s'offrait.

Miséricorde…

Il posa la main dans le creux de ses reins avant d'inspirer profondément, le nez à quelques millimètres de cet endroit délicieux, juste sous l'oreille des femmes. Elle frémit. Il huma son doux parfum et laissa ses sens s'enflammer.

— C'est ce que tu veux ? chuchota-t-il.

Il connaissait d'avance la réponse, mais avait besoin de l'entendre de sa bouche.

— Cela fait si longtemps que je m'efforce d'éviter les complications que j'ai raté plein de plaisirs simples et… je ne veux pas rater celui-ci, admit-elle.

Elle ne pouvait pas plus lui plaire.

— Ne t'inquiète pas : cette fois tu ne rateras rien.

Entre deux éclats de rire et deux soupirs enfiévrés, Garrett réussit à tourner la clé dans la serrure. La porte de l'appartement de Nicole s'ouvrit sous la poussée de leurs deux corps enlacés. Ils déboulèrent dans le petit vestibule.

Garrett referma le battant d'un léger coup de pied. A reculons, Nicole l'entraîna à travers la pièce, les yeux brillants, un sourire aux lèvres. Elle avait la respiration haletante et le rouge de ses joues s'était accentué. Cette vision suffit à lui donner une violente et soudaine érection.

Elle tendit la main, l'attrapa par sa ceinture. Il glissa de nouveau les bras autour d'elle et fit descendre les mains sur les rondeurs de ses fesses, puis légèrement plus bas, sur le haut de ses cuisses. Il la souleva alors pour plaquer son bassin contre le sien, tandis qu'elle nouait les jambes autour de ses reins.

Ses pupilles se dilatèrent et ses iris noisette s'assombrirent.

— Bon sang, tu es sublime ! lança-t-il.

Il devait se retenir pour ne pas la prendre là, contre le mur. Nicole faisait déjà sauter les boutons de sa chemise ; elle en écarta les pans comme si elle pensait trouver en dessous l'emblème de Superman.

— Toi aussi, tu es superbe, répondit-elle.

Soudain, s'envoler cape au vent pour se percher sur l'immeuble voisin ne lui parut plus si infaisable…

La porte de la chambre était entrouverte. La vue du lit bien fait et de sa couette aux impressions mauves fit palpiter son sexe déjà tendu à l'extrême. Fugitivement, il se demanda s'il avait déjà été aussi dur.

Oui, il avait faim d'elle et de son corps, une faim dévorante. Il voulait goûter sa chair empourprée et l'entendre gémir quand elle serait emportée par l'orgasme. Mais il était surtout impatient de ce qui viendrait *après*, de ces moments spéciaux qu'ils partageraient quand la passion aurait été assouvie.

Ils basculèrent sur le lit et il amortit le choc d'une main. Nicole le ceinturait toujours de ses jambes.

— Je ne sais même pas comment tu t'appelles ! haleta-t-elle.

Il ouvrit la bouche pour répondre, se ravisa brusquement, puis chuchota en souriant :

— Et ça t'excite ?

Elle émit un son qui hésitait entre le soupir et le gémissement. Il avait sa réponse et faillit perdre tout contrôle.

Dire qu'il avait cru quelques secondes auparavant qu'elle ne pouvait pas plus lui plaire !

Parfait.

Ce fougueux spécimen mâle, follement sexy, était son coucher de soleil. Son petit plaisir tout simple. Son fantasme qu'elle se permettait enfin de vivre. L'aventure pimentée dont elle n'avait pas osé rêver. Et, cerise sur le gâteau, dont elle pouvait jouir en toute sécurité.

Elle ignorait comment il s'appelait !

Une fille ne bâtissait pas de châteaux en Espagne avec un homme dont elle ignorait le nom. Elle ne risquait pas de se faire des illusions, de mal interpréter certaines intentions ou de s'emberlificoter dans des espoirs qui n'aboutiraient nulle part.

Ils avaient devant eux toute une nuit, sans la moindre complication en vue. C'était pour cette nuit-là, d'abandon impudique et désinhibé, que, inconsciemment, elle s'économisait depuis trois ans. Et même plus longtemps, à bien y réfléchir. Mais elle ne voulait pas regarder en arrière. Pas ce soir, alors que ce fabuleux inconnu était en train de lui butiner la gorge de sa bouche brûlante. Ce moment était trop bon pour qu'elle en gaspille une seule seconde.

L'espace d'un instant, il releva la tête. Ses yeux bleus pétillèrent et un sourire coquin se dessina sur ses lèvres.

— Ce petit nœud me nargue depuis le début de la soirée.

Nicole retint son souffle. Ce petit haut à bretelles ne lui avait pas paru particulièrement sexy quand elle l'avait enfilé quelques heures plus tôt. Depuis des lustres, elle s'habillait sans chercher à attirer l'attention. Mais savoir que toute la soirée il avait eu envie de dénouer ce nœud idiot, juste au creux de ses seins, lui procurait tout à coup un plaisir fou.

Inclinant de nouveau la tête, il saisit le lacet entre ses dents et tira. Sa langue habile virevolta entre ses seins. Puis il souffla sur sa peau, déclenchant des spasmes de plaisir dans son ventre. En équilibre sur les mains au-dessus d'elle, il recommença à la taquiner de la langue, puis sa bouche se posa non loin de son téton. Avec un gémissement, elle se cambra pour qu'il extraie le bouton durci du soutien-gorge et le prenne entre ses lèvres. Mais il s'écarta et prolongea son calvaire pour tracer un autre sillon humide le long de sa clavicule, son cou, puis sur cette zone incroyablement sensible, juste sous l'oreille.

— Je te veux nue, Nicole.

Elle sursauta.

— Tu connais mon prénom ?

Il posa la main sur son ventre pour retrousser l'ourlet de son haut. D'un geste rapide, il fit passer le vêtement par-dessus sa tête, puis baissa les yeux sur ses seins, encore contenus par le soutien-gorge de satin crème. Elle tressaillit.

— Oui. Et toi tu ne connais pas le mien.

Elle se mordit la lèvre. Ça n'aurait pas dû être aussi émoustillant alors que ne pas chercher à percer son anonymat était juste une précaution, s'était-elle dit au début, un moyen de se prémunir contre le danger potentiel que représentait cet homme — le seul en trois ans à avoir éveillé du désir en elle.

Mais impossible de se leurrer : leur petit jeu érotique autour de son anonymat faisait doublement flamber sa passion.

D'une pichenette, il dégrafa le soutien-gorge, offrant ses seins dénudés à son regard. Leurs pointes roses parurent se tendre vers lui, appeler ses caresses.

— *Entièrement* nue, ajouta-t-il.

4.

Se redressant, il l'aida à enlever son jean et sa culotte, prenant le temps de faire glisser sur son corps nu un regard appréciateur. Puis il ôta sa chemise. Comme il saisissait l'extrémité de son ceinturon de cuir, Nicole s'agenouilla pour promener ses mains sur les méplats de son torse musclé.

Tout à l'heure, quand il l'avait portée dans la chambre, elle avait perçu sa puissance physique. Elle avait aperçu ses pectoraux bien dessinés en ouvrant sa chemise. Mais le voir ainsi torse nu, aussi beau et musclé qu'un dieu grec… Seigneur, cet homme était une véritable œuvre d'art !

Et elle n'avait encore pas vu l'autre moitié !

— Entièrement nu, ordonna-t-elle, malicieuse, en lui confisquant le ceinturon.

Elle le déboucla, puis ouvrit le zip du jean de ses doigts fébriles.

Il la laissa faire à son rythme, comme s'il avait compris qu'elle souhaitait pleinement participer et non pas demeurer une partenaire passive. Néanmoins, il ne rompait pas le contact entre eux, effleurait ses épaules, son dos, frôlait sa joue, ses bras, tandis qu'elle achevait de le déshabiller complètement, jusqu'à son boxer de coton blanc.

La vision de son érection lui coupa le souffle. Décidément,

il était différent de tous les hommes qu'elle avait connus précédemment. Plus viril. Plus fort. Plus excitant.

Incapable de se retenir, elle referma les doigts sur son membre rigide.

— Nicole !

Elle fut choquée par l'intensité de son regard, qui lui disait qu'il avait envie de la renverser sur le lit et de la prendre tout de suite, de s'enfoncer en elle sans ménagement en la tenant captive sous son poids.

Et il fallait avouer que l'idée n'était pas pour lui déplaire…

Elle lui laissa le temps de récupérer un préservatif dans son portefeuille, mais tiqua en le voyant jeter l'étui sur la table de chevet. Oh non ! Pourvu qu'elle ne soit pas tombée sur un de ces types qui refusaient de se protéger avant la toute dernière minute.

Elle n'était pas vraiment d'humeur à lui infliger le laïus habituel : *Du bon usage des capotes et autres méthodes préventives...*

Il surprit son expression inquiète, haussa les sourcils d'un air interrogateur. Bon, d'accord, on avait l'air parti pour le laïus, alors.

— Hum… tu vas le mettre, n'est-ce pas ? Dès le début ?

— Bien sûr. Je ne prendrais pas ce genre de risques, Nicole. Ni avec ta vie, ni avec la mienne, rétorqua-t-il avec une conviction rassurante. Mais tu ne crois quand même pas que nous en avons fini avec les préliminaires ?

Elle hésita à répondre, pas très encline à avouer que, lors de ses expériences passées, cette étape n'était pas vraiment au programme.

— Je… je ne sais pas.

— Parce que c'est loin d'être le cas, assura-t-il en revenant vers elle.

Il posa la bouche dans son cou et la renversa de nouveau sur le matelas. Son intimité pulsait déjà lorsqu'il glissa la main entre ses cuisses. Lentement, il immisça un doigt en elle. La pénétra, puis se retira pour dessiner un cercle léger autour de son clitoris. Son doigt légèrement calleux décuplait encore les sensations, au-delà de ce qu'elle aurait cru possible.

Tout était différent, avec lui. Cette nuit ne ressemblerait à aucune autre.

Elle arqua les hanches pour mieux le sentir. Elle était brûlante de désir et fondante, prête à le supplier.

— Je t'en prie…

— Tu en veux plus, Nicole ? susurra-t-il.

Il accéléra le rythme. Elle poussa un petit cri de plaisir et sa chair frémit autour de ses doigts joints qui allaient et venaient en elle.

— Je t'en prie ! répéta-t-elle, éperdue. Je suis si proche de… Cela fait si longtemps !

Tout son corps était en feu. Mais au lieu de lui apporter l'assouvissement qu'elle réclamait, son amant ralentit son rythme.

— Longtemps ? Combien de temps ?

— Plusieurs… années ! haleta-t-elle.

Il se figea et retira sa main. Nicole rouvrit les yeux, saisie de panique. Non, il n'allait pas s'arrêter maintenant !

Elle vit alors qu'il n'avait pas l'intention de quitter le lit mais que, au contraire, il s'installait entre ses jambes. D'une main ferme, il la souleva par les hanches, cala ses cuisses sur ses épaules. Avec n'importe qui d'autre, elle se serait dans cette position sentie terriblement vulnérable et exposée.

— Tu as assez attendu, dit-il, ses yeux rivés aux siens.

Puis il posa la bouche sur son sexe et sa langue entreprit de mimer le mouvement qu'effectuaient ses doigts un peu plus tôt.

Sauf que c'était encore différent. Incroyablement différent, tellement plus intense et délicieux — si doux et si fort en même temps ! Sa langue la pénétrait, puis revenait lécher son clitoris, le suçotait, le taquinait.

A présent, Nicole ne pouvait plus retenir ses plaintes, qui devinrent des cris quand les sensations culminèrent. Il aspira le bourgeon ultrasensible et elle explosa.

Un orgasme intense, dévastateur, qui dura, dura… Un orgasme comme elle n'en avait jamais connu.

Lorsqu'elle retomba enfin sur l'oreiller, dans une espèce d'engourdissement bienheureux, son amant remonta sur elle pour l'embrasser dans le cou. Il allongea le bras et elle comprit qu'il saisissait le préservatif, sans hâte. Il la savourait comme il avait savouré le coucher de soleil.

Une sensation lancinante était en train de fleurir dans sa poitrine, lui donnant envie de refermer ses bras sur cet homme pour ne plus jamais le lâcher.

Oh non !…

Il n'était pas *raisonnable* d'éprouver ce genre d'élan, trop proche de la tendresse. A moins que ce ne soit juste une réaction aux endorphines qui noyaient son corps ? Peut-être. Comment savoir ? Elle n'avait pas l'habitude des aventures d'une nuit…

— Garrett, souffla-t-il alors à son oreille. Je m'appelle Garrett. Tu as le droit de savoir, maintenant.

Nicole écarquilla les yeux et se figea sous le corps pesant couché sur le sien. Son regard vola vers les yeux bleus qui, tout à l'heure, lui avaient paru si *familiers*.

Oh mon Dieu !

— Garrett… Carter ? balbutia-t-elle.

— Oui. Pourquoi ? Tu as entendu parler de moi ?

Il s'était raidi, lui aussi. Si elle avait entendu parler de lui ? Et comment ! La réponse devait s'être inscrite sur sa figure, car il afficha tout à coup un air déçu, puis esquissa une petite grimace résignée.

— Je ne sais pas ce qu'on t'a raconté, mais ce qui se passe entre nous ce soir… ce n'est pas…

Il soupira. Son regard remonta sur le mur, à côté du lit, en direction de la bibliothèque. Il tressaillit. Nicole devina aussitôt ce qu'il venait d'apercevoir : la photo que Maeva lui avait donnée pour Noël, l'an passé, sur laquelle elles apparaissaient toutes deux en gros plan, riant aux éclats.

— Nicole…, murmura-t-il, l'air abasourdi et atterré tout à coup. C'est toi ? Nikki Daniels ?

Il ferma les yeux tandis qu'elle levait les siens au ciel.

Garrett Carter. Le frère de Maeva. Le tombeur de ces dames. L'homme qui murmurait à l'oreille des filles. Elle n'arrivait pas à le croire !

D'un bond, il se releva, s'assit sur la chaise et entreprit d'enfiler son jean. Nicole attrapa la couette d'une main tremblante pour s'en couvrir la poitrine. Elle s'efforça d'ignorer ses tétons rigides, ses seins gonflés, par sa faute à *lui*, Garrett Carter, qui l'avait envoyée au septième ciel avec sa bouche, ses dents, sa langue…

Rhabillé, il se mit à arpenter la chambre à grands pas nerveux, en se passant la main dans les cheveux. A sa décharge, il avait l'air aussi désemparé qu'elle. Une chose était sûre : elle n'avait pas à s'inquiéter, la situation ne pouvait pas devenir plus compliquée que ça.

Quel désastre !

Toutefois, il n'y avait aucune conséquence sentimentale à redouter. Et peut-être Maeva ne ferait-elle que rire de toute cette histoire ? Oui, très certainement, tenta-t-elle de se convaincre. Ce n'était pas comme si Garrett et elle étaient appelés à se revoir.

— Qu'est-ce que tu fais ? grommela la voix qui, l'instant d'avant, chuchotait des mots torrides à son oreille.

Par réflexe, elle s'était emparée de son Smartphone — sa bouée de sauvetage — pour éclaircir le chaos qui régnait dans sa tête. Il fallait que Maeva la rassure, lui affirme que leur amitié ne pâtirait pas de cette ridicule méprise. Elle ne supporterait pas de perdre tous ses repères, une fois de plus. Non, ça n'allait pas recommencer…

— Tu téléphones, Nicole ?

Arrachée par cette question aux pires souvenirs de son existence, elle focalisa son attention sur l'homme qui la foudroyait du regard.

— Je… j'envoie un texto. A Maeva.

En deux enjambées, il la rejoignit sur le lit.

— Sûrement pas ! Je t'en supplie, dis-moi que tu n'as pas pris de photos pendant que…

— Tu es fou ! s'insurgea-t-elle. Pour qui me prends-tu ?

— C'est juste que… tout à l'heure, pendant la fête, je t'ai surprise en train de…

— Tu n'as pas voulu, alors je ne l'ai pas prise. Et *a posteriori*, je crois que c'était une belle erreur de ne pas t'avoir photographié pour avoir l'avis de Maeva ; une erreur que nous allons tous les deux regretter.

Car même si l'expérience avait été inoubliable, rien ne valait qu'elle mette en danger l'amitié irremplaçable de Maeva.

— Tu crois que ma sœur t'aurait empêchée de sortir avec moi ?

— Bien sûr !

Evidemment, les raisons de son amie auraient été différentes de celles qui auraient tenu Nicole à l'écart si elle avait connu l'identité de son bel inconnu.

— Je crois plutôt qu'elle aurait rigolé bien trop fort pour pouvoir seulement appuyer sur la touche « Répondre ». Mais elle aurait quand même essayé de te dissuader, oui, peut-être. Par amitié.

Nicole réprima un sourire et se sentit un peu soulagée. Garrett semblait au moins d'accord avec elle : il y avait gros à parier que Maeva prendrait la chose avec humour.

— J'espère que tu as raison, opina-t-elle.

Garrett s'assit au pied du lit, ni trop loin ni trop près. Nicole glissa une jambe hors de la couette et tenta de récupérer du bout du pied sa culotte, abandonnée sur le parquet. Elle n'avait pas envie de se promener toute nue devant son amant maintenant qu'elle savait qui il était.

Finalement elle réussit à coincer le bout de tissu entre deux orteils.

Garrett se leva avec un soupir.

— Tu ne savais vraiment pas qui j'étais ?

— Mais non ! Je te jure que je me serais enfuie à toutes jambes. Ne le prends pas pour toi, c'est juste que…

— Dans un sens, je préfère ça, coupa-t-il.

— Pourquoi ?

— Un moment, j'ai eu peur qu'il s'agisse d'une sorte de défi ou de concours idiot…

— Oh ! s'insurgea-t-elle. Pour conquérir « l'homme qui murmurait à l'oreille des filles » !

Garrett se figea, sa chemise à la main. Ainsi, torse nu, il aurait pu figurer sur un calendrier sexy… s'il ne l'avait punaisée d'un regard furibond !

— Pardon ? Comment m'as-tu appelé ?

— Mais… c'est comme ça que…, bredouilla-t-elle en rougissant.

— Tu vas peut-être me faire croire que je t'ai envoûtée en te susurrant des mots doux, jeta-t-il, agacé. Que tu n'étais pas vraiment consentante ?

Elle balaya la question d'un geste de la main. Pendant trois ans, aucun homme ne l'avait tentée. Et, alors qu'elle connaissait Garrett depuis quelques heures à peine, elle avait sauté au lit avec lui. Si ce n'était pas une sorte de magie noire, elle se demandait bien ce que c'était !

5.

Garrett se retint d'égrener un chapelet de jurons. Serrant les dents, il se pinça l'arête du nez.

Ça n'aurait pas pu être pire.

Bon, ce n'était pas tout à fait vrai. Cela aurait pu être pire. Cela l'avait déjà été dans sa vie. Comme quand, à dix-huit ans, il était obligé de repousser les avances des copines de Bethany, la plus grande de ses sœurs.

Au moins, ce qui venait de se passer avait été involontaire.

Nikki Daniels…

Comment s'étonner que, depuis le début, il ait eu cette impression de connexion immédiate avec elle ?

Cela faisait des années que Maeva lui parlait de cette fille. Il savait qu'elle avait grandi à Milwaukee, qu'elle était comptable et travaillait dans une grosse entreprise du centre-ville ; qu'elle préférait les films d'action aux comédies romantiques, qu'elle avalait tous les livres, des romans de science-fiction aux biographies ; qu'elle adorait les tartelettes au beurre de cacahuète et les nachos ; qu'elle chantait — faux — en écoutant la radio quand elle se croyait seule.

Et qu'elle ne sortait jamais avec des hommes.

Jamais.

Alors pourquoi diable cette fille-là avait-elle ramené un inconnu dans son lit ce soir ? Ce n'était quand même pas à cause de ces quelques minutes de communion face au coucher de soleil ? A cause de leur échange sur les plaisirs simples de la vie ?

Peut-être que finalement il avait chuchoté un peu trop fort à son oreille…

— Euh, Garrett ?

Il releva la tête et vit qu'elle se cramponnait à son maudit téléphone comme une gamine à son doudou.

— Ecoute, je suis désolée, mais je n'ai pas l'intention de mentir à Maeva. Si elle t'embête avec ça ensuite, eh bien… tu n'auras plus qu'à attendre qu'elle se lasse. Tu n'en mourras pas, de toute façon.

Il ne put retenir un rire. Elle avait un certain toupet de lui parler comme ça ! Il ne s'inquiétait pas des taquineries de Maeva, même s'il savait d'avance qu'il en prendrait pour son grade face à cette quasi professionnelle du sarcasme, qu'il avait lui-même formée. Mais tout bien réfléchi, il l'aurait mérité.

— Ce n'est pas ça qui me tracasse.

— Quoi donc, alors ? demanda Nikki en remontant la couette jusqu'à son menton.

Le problème, c'était justement la vision de cette femme qui, quelques minutes plus tôt, était nue, offerte, et le suppliait, cuisses ouvertes.

Cette femme — la meilleure amie de sa petite sœur — qui se cachait maintenant derrière un bout de tissu, n'avait pas fait l'amour depuis trois ans et qui, pour une raison inconnue, l'avait choisi, *lui* ! Absurde. Et insupportable.

— Tu mérites mieux, répondit-il enfin.

C'était le deuxième point. Une partie de lui-même était déçue. Il se sentait lésé dans l'affaire, comme si on lui avait joué un tour pendable. Durant un temps, il avait vraiment cru qu'il existait quelque chose de spécial entre eux. Il ne cherchait pas un engagement durable et n'avait nulle envie de se mettre d'autres responsabilités sur le dos. Toutefois, la perspective d'une relation légère,

44

plaisante, avec cette fille drôle, intelligente, facile à vivre, l'avait terriblement séduit.

Cela n'avait rien à voir avec le genre de filles qu'il avait fréquentées durant les quinze dernières années, qui n'avaient eu pour fonction que de le gratter là où ça le démangeait. Des filles qui ne s'étaient jamais intéressées à lui, pas plus qu'il ne s'était intéressé à elles.

Avec Nikki, il avait anticipé des sorties, des balades, de longues discussions. Il n'allait pas le lui dire maintenant. Elle ne le croirait sans doute pas, de toute façon, étant donné les idées préconçues qu'elle avait à son sujet.

L'homme qui murmurait à l'oreille des filles…

Sa réputation l'avait précédé.

D'un côté, il avait envie de détromper Nicole. Mais au fond, il ne valait mieux pas. Car elle était la plus proche amie de Maeva. Désormais, il n'était plus question d'une histoire légère avec elle. S'ils sortaient ensemble, il serait obligé de prendre en compte les répercussions éventuelles de ce flirt sur l'amitié entre les deux jeunes femmes, ainsi que sur ses propres relations avec sa sœur.

Parce que même s'il avait envie de pousser l'aventure plus loin que cette unique nuit, il n'avait pas du tout l'intention de s'engager dans une histoire durable.

Il poussa un nouveau soupir.

— Ecoute Nicole, je te trouve super, vraiment, mais j'ai une règle d'or : je ne sors jamais avec les copines de mes sœurs.

Le visage de la jeune femme s'éclaira. Comme elle se penchait légèrement en avant, la couette retomba, révélant ses épaules nues. Garrett s'efforça de ne pas laisser errer son regard sur cette chair appétissante, dont il croyait encore sentir la douceur sous ses doigts, et qui lui était maintenant interdite.

Elle toussota sèchement et il s'empressa de la regarder dans les yeux.

— Ce n'est vraiment pas la peine de paniquer, fit-elle avec calme.

— Pardon ?

— Oui, je me doute que tu angoisses un peu, mais c'est inutile. Je ne me faisais pas d'idées en te ramenant ici. Très franchement, je ne comptais pas prolonger l'expérience au-delà de cette nuit.

A d'autres, songea Garrett.

— Nicole, je…

— Non. J'ignore ce que tu penses savoir à mon sujet, mais…

— Je sais que tu n'as pas couché avec un homme depuis trois ans, la coupa-t-il. Et qu'avant, tu as connu deux relations très sérieuses, puisqu'elles ont toutes deux débouché sur des fiançailles très officielles.

Elle pâlit.

— Bien, je vais faire semblant de trouver tout à fait normal que tu sois au courant de tout ça. Et je vais attendre que tu sois parti pour avoir une bonne conversation avec ta sœur sur l'amitié, les confidences et la confiance.

Garrett se mordit la lèvre. Génial, la situation dérapait… Et dire que tout cela aurait pu être évité s'ils avaient eu l'idée d'échanger leurs prénoms, comme le commun des mortels !

Il leva une main en un geste qui se voulait apaisant.

— Je t'en prie, il ne faut pas en vouloir à Maeva. Elle cherchait juste à me rassurer à propos de ses fréquentations. Elle voulait me convaincre que tu n'étais pas une fille à problèmes, que tu étais sérieuse, au contraire ; quelqu'un de bien, quoi.

Elle haussa les sourcils et il comprit qu'il était en train de s'enliser.

— Je ne veux pas dire que je pense le contraire maintenant, ne te méprends pas ! s'empressa-t-il de préciser.

— Je serais toi, je me tairais, Garrett.

Elle avait sans doute raison : il s'enfonçait encore plus.

Il ferait mieux de s'en aller sans délai pour réfléchir à ce qu'il dirait à sa sœur quand celle-ci découvrirait qu'il l'avait mise dans une position délicate vis-à-vis de sa meilleure amie.

Lui qui voulait des choses simples et légères, c'était mal parti.

— Nicole...

— Ce soir, coupa-t-elle, c'était... un accident de parcours. Une erreur de jugement, de notre part à tous les deux. Il ne reste plus qu'à tourner la page et oublier, d'accord ? Ce n'est pas comme si nous étions sortis ensemble pendant des années. Et à mon avis, nos chemins ne sont pas près de se recroiser. Si cela devait survenir, ça ne me gênerait pas, je t'assure. C'était juste une nuit, rien de plus.

Il ne put s'empêcher de tiquer. Non, elle n'avait pas pu penser ça quand ils avaient quitté la fête, tout à l'heure. Elle le prétendait juste maintenant, par fierté. Pourtant ses yeux en amande ne cillaient pas et elle le regardait d'un air de parfaite sincérité.

N'était-ce pas un petit tour du destin bien ironique ? La première femme avec qui il avait eu envie de passer un peu de temps n'avait vu en lui que l'étalon d'un soir. Il aurait dû hausser les épaules, passer à autre chose. Mais sapristi, il en était mortifié !

Il ravala sa frustration. C'était mieux ainsi, de toute façon. Avec un hochement de tête, il s'approcha du lit et se pencha pour déposer un baiser léger sur la tempe de la jeune femme.

— Désolé pour tout ça, Nikki.

— Ne t'excuse pas, objecta-t-elle avec un petit sourire. Moi, je ne regrette pas.

*
* *

47

Nicole avait renoncé à l'idée de dormir. Elle avait bien mieux à faire depuis qu'elle savait que sa meilleure copine avait trouvé le moyen de parler de sa vie sexuelle inexistante à l'homme qui venait de quitter son appartement.

Elle était installée devant son ordinateur portable, en grande vidéo-conversation avec Maeva qui, à l'autre bout du pays, faisait les cent pas devant son propre ordinateur, vêtue du long T-shirt qui lui servait de chemise de nuit.

— Enfin, ce n'est pas comme si j'avais divulgué les secrets les plus glauques de l'héroïne de *Cinquante nuances de Grey*, quand même !

Poings sur les hanches, Nicole foudroya son amie du regard à travers le cyberespace. Celle-ci ne tarda pas à capituler sous la pression. Ses bras retombèrent dans un geste résigné et elle alla s'affaler sur le canapé, telle une loque humaine accablée de contrition.

— D'accord, d'accord, je te demande pardon. Je n'aurais rien dû dire à personne ; d'ailleurs, je ne sais même pas pourquoi j'en ai parlé à Garrett. Il faut dire, à ma décharge, qu'il a un don pour extorquer des informations aux gens. Il est d'une patience redoutable, il ne lâche jamais rien et ne se laisse jamais détourner de son but.

Nicole le savait déjà, mais cela ne changeait rien au problème.

— Ma vie sexuelle ne le concerne pas !

Enfin, presque… Toutes ces bêtises qu'il lui avait débitées à propos de la « fille sérieuse » qu'elle était censée être. Elle l'avait ramené chez elle pour la nuit, et lui trouvait le moyen de lui coller d'emblée l'étiquette dont elle essayait de se débarrasser depuis trois ans ! Or, elle ne cherchait pas à se marier. Elle n'avait aucun dessein particulier, surtout pas en ce qui le concernait !

— Je sais, je sais, marmonna Maeva. Je suis vraiment confuse. Mais maintenant que tu le connais, tu dois avoir compris qu'il sait comment obtenir ce qu'il veut.

— Il habite Chicago. S'il s'inquiète tant de tes fréquentations, pourquoi ne rencontre-t-il pas tes amis ?

— Pour ce qui est de mes petits amis, il n'hésite pas, je t'assure ! Mais les copines, au contraire, il les évite comme la peste. A une certaine époque, les amies de Bethany, Carla et Erin lui faisaient les yeux doux — c'est un euphémisme ! Il avait le plus grand mal à les éviter. Depuis quelques années, il a été accaparé par ses études et son entreprise ; il a vécu à cent à l'heure et je l'ai à peine croisé.

Une autre pièce du puzzle se mettait en place. Nicole avait oublié cette histoire de diplôme, dont Maeva lui avait pourtant parlé : Garrett avait payé les études de ses quatre sœurs avant de s'autoriser lui-même à aller à l'université.

— Voilà donc pourquoi il disait qu'il voulait enfin profiter de la vie, dit-elle, pensive.

Maeva arrêta enfin de faire son cinéma pour s'asseoir normalement sur le canapé.

— Vraiment ? Et qu'a-t-il dit d'autre ?

Tout à coup, Nicole songea que les relations humaines dans cette famille semblaient déjà bien emberlificotées, et qu'il n'était sans doute pas très malin de venir s'en mêler. Elle préféra ne pas dévier dans cette direction.

— Je sais bien que tu n'es pas une pipelette et que tu ne voulais pas me blesser, mais... j'ai été prise au dépourvu. Je veux juste que tu me promettes de ne plus...

— Je te jure que cela ne se reproduira plus ! A l'avenir, je serai muette comme une carpe sur tes vicissitudes sexuelles.

— Et si tu oubliais carrément de parler de moi ? A ton frère du moins.

Maeva fit une petite moue et inclina la tête de côté.

— Ce ne serait pas franchement réaliste, comme promesse. Maintenant qu'il te connaît, j'imagine que Garrett va me demander de tes nouvelles de temps en temps. Il se sent toujours concerné par les gens, il a un gros instinct de protection. C'est plus fort que lui, en fait.

— Quoi ? Mais…

— Bienvenue dans mon monde !

Maeva se pencha vers l'écran de son ordinateur et, les coudes posés sur la table, cala son menton sur ses mains jointes.

— Bon, maintenant que le ciel est dégagé entre nous, reprit-elle, dis-moi : tu le places où, mon frangin, entre le lait écrémé et la crème Chantilly ?

Garrett ouvrit un œil et se renfrogna en entendant la voix qui s'échappait du répondeur depuis la pièce voisine.

— Je sais que tu es là, Garrett Carter ! Décroche tout de suite ton portable, sinon ça va barder !

Vraiment ? Et que comptait faire Maeva ? Sauter dans le premier avion pour venir lui faire les gros yeux ? Juste sous prétexte qu'il l'avait trahie, blessée et gravement déçue ?

Il ouvrit l'autre œil et s'assit dans le lit. Il attrapa sur la table de chevet son portable qui vibrait déjà, tout en grattouillant de l'autre sa barbe naissante. Le réveil indiquait 5 heures passées de quelques minutes.

— Il est un peu tôt, tu ne trouves pas, Maeva ?

— Tu es seul ?

Il exhala un long soupir :

— Je sors de chez Nicole. Tu crois vraiment qu'entre-temps, j'aurais pu faire une rencontre et ramener la fille chez moi ?

Le silence qui s'ensuivit semblait indiquer que sa sœur ne jugeait pas cette éventualité totalement irréaliste.

— Bien sûr que je suis seul ! Et crois-moi ou non, je n'avais aucune idée de son identité.

— Tu étais bien le seul de la soirée. Que faisais-tu là-bas, d'ailleurs ?

— Jesse est mon plus vieux copain et cela faisait deux ans qu'il était parti en Europe. Et Nicole est proche de Sam, apparemment. Toi aussi ?

— On se retrouve souvent — je dirais une fois par semaine, au minimum. Il fait partie de notre petit groupe de très proches.

— Comment ? Mais il fréquente tous mes anciens camarades de lycée et…

— Oh ! fiche-moi la paix, Garrett ! Je les vois tout le temps. Aujourd'hui, ce sont plus mes amis que les tiens.

Il tombait des nues.

— Ça ne m'étonne pas que tu n'en saches rien, reprit Maeva. Tu as presque disparu de la circulation, ces derniers temps. Malgré tout, quand tes sœurs sont concernées, tu deviens presque psychopathe. Je n'allais donc pas te dire que je fréquentais ces gars-là, et ça ne me surprend pas que personne parmi eux n'ait eu le cran de le faire. Ils tiennent à leur vie j'imagine.

Le silence retomba, tandis que Garrett digérait la nouvelle : Maeva côtoyait *ses* amis. Cette bande de nigauds qui bavaient d'admiration devant lui et trouvaient génial ce surnom d'Homme qui murmurait… Ces ados attardés qui cognaient leur poing contre le sien pour le saluer, comme au temps du lycée, et qui le congratulaient comme si la vie de patachon qu'il avait menée à une certaine époque n'avait pas été une fuite en avant puérile, mais une véritable réussite qui méritait gloire et considération.

Sa petite sœur voyait ces types-là. Et elle s'était bien gardée de le lui dire…

— Attends un peu avant de me faire une crise, fit sa sœur. Je ne parle pas de Joey et des autres. C'est surtout Sam, et de temps en temps Rafe et Mitch. Et, pour que les choses soient claires, je ne suis jamais sortie avec l'un d'eux.

Il ne put retenir un soupir de soulagement, qui siffla entre ses dents.

— Allôôô ? Ici la Terre, répondez Monsieur-qui-murmurez-si-bien-et-piétinez-la-confiance-de-votre-sœurette.

Il encaissa la pique de la petite Maeva, qui savait vous poignarder bien proprement avec ses frappes chirurgicales pour retourner la situation à son avantage en un clin d'œil. Dieu vienne en aide à l'homme sur qui elle finirait par jeter son dévolu…

— Maeva, donne-moi juste une minute pour me réveiller et me remettre un peu, O.K. ?

Il l'entendit claquer de la langue au bout du fil, imaginant sans peine sa mine excédée, exactement celle qu'elle arborait à six ans quand quelque chose l'exaspérait. A l'époque, son irritation n'était jamais dirigée contre lui. Il était son héros, celui qui défendait sa cause face à ses sœurs aînées quand elles ne voulaient pas prêter leurs affaires à une gamine maladroite.

— Ça y est, tu émerges ? lança-t-elle, impatiente.

— On va dire que oui.

Il se leva en emportant le portable, sachant déjà qu'il était vain d'espérer se rendormir ensuite. A tâtons, il se dirigea vers les dosettes de café et les biscuits.

— Comment as-tu pu dire à Nikki que tu savais qu'elle n'avait pas couché avec quiconque depuis trois ans ? s'emporta Maeva. Je t'avais raconté cela sous le sceau du secret et toi, tu as trahi ma confiance ! Et tu ne t'es pas arrêté là, tu…

Garrett mit en marche sa machine à espresso tout en émettant un bruit de gorge, qui équivalait à un aveu vaguement penaud. Il savait que toute tentative pour interrompre sa sœur serait suicidaire, même s'il brûlait de lui faire remarquer que c'était *elle* qui avait commencé par trahir la confiance de Nicole.

Il avait bu la moitié de sa tasse quand le calme revint, assez longtemps pour lui faire comprendre que Maeva ne reprenait pas simplement son souffle mais qu'elle attendait une réaction de sa part.

— Dans quel état d'esprit était-elle ? demanda-t-il finalement. Mis à part bien sûr le fait qu'elle était furieuse que tu aies divulgué ses petits secrets.

— Nikki ? Elle allait bien. Pourquoi ?

— Parce que comme tu me l'avais dit toi-même, sœurette, c'est une fille *sérieuse*.

— Oh ! Pas la peine de t'inquiéter à ce propos. Elle n'est pas terrassée par la déception, si c'est ce qui te tracasse. Elle voulait juste s'envoyer en l'air. Mais elle te l'a sûrement déjà dit, non ?

Certes. Pour autant, Garrett n'avait pas apprécié l'information. Peut-être même avait-il refusé d'y croire. Parce que *lui* s'était impliqué — un minimum du moins.

— Ne me dis pas que tu te fais du souci pour elle ? s'exclama Maeva. Crois-moi, Nikki va très bien. Ce genre de plan, c'était exactement ce qu'il lui fallait. Sauf qu'il n'aurait pas dû se réaliser avec toi !

« Merci beaucoup, sœurette ! » ironisa-t-il *in petto*.

— Elle voulait se prouver qu'elle pouvait prendre du bon temps sans arrière-pensée, reprit-elle. Sans se retrouver aspirée dans un tunnel avec une grande robe blanche au bout, tu comprends ? Voilà, ce n'est rien de plus. Et je suis bien sûre que la prochaine fois, elle n'oubliera pas de demander son prénom au type !

Maeva s'esclaffa à l'autre bout de la ligne.

La prochaine fois… Garrett ferma les yeux tandis que les mots résonnaient sous son crâne et que des images insupportables défilaient dans son imagination : Nicole, nue, ses yeux en amande rivés à ceux d'un homme qui l'enlaçait et qui n'était pas *lui*.

Bon sang !

Il but d'une traite la moitié de la tasse de café qu'il s'était refaite. Il était temps de se réveiller et d'entamer une nouvelle journée.

— Très drôle, marmonna-t-il dans le combiné.

6.

La boule numéro six plongea dans la poche, tandis que la blanche venait se nicher tout doucement derrière la numéro quatre. Nicole se redressa, fière de son coup.

A l'autre bout du billard, elle vit Maeva la regarder ajuster son prochain coup. Le bout de sa chaussure tapotait le pied de son haut tabouret.

— Dis donc, tu en as pris de l'assurance ! commenta-t-elle soudain.

— Pardon ? fit Nicole en relevant la tête.

D'un geste, Maeva désigna la queue de billard pointée vers la boule blanche. Son sourire narquois laissait présager de ce qui allait suivre.

— Oui, vraiment. Tu n'as jamais aussi bien joué. C'est ta nuit avec mon frère qui te fait cet effet-là ?

Nicole sentit ses joues devenir cramoisies. Elle se pencha de nouveau vers le tapis de feutrine verte, visa la boule blanche et envoya la quatre… à côté du trou !

Maeva laissa échapper un petit cri faussement contrit.

— Oh ! je t'ai fait perdre ! Désolée.

— Perdre ? Dans tes rêves.

Nicole retint un soupir. Depuis une semaine, Maeva n'arrêtait pas. *Une semaine ?* Seigneur, déjà une semaine que la bouche de Garrett, ses mains, ses doigts…

Au prix d'un effort, elle se reconcentra sur la partie et, d'un geste précis, envoya la dernière balle dans la poche.

— Et voilà !

— Je suis dégoûtée ! s'écria Maeva.

— Bien fait, ça t'apprendra à essayer de me déconcentrer.

— Oui, bon, ça va…

Son amie était trop mauvaise joueuse pour perdre de bonne grâce ; pourtant, étrangement, sa mine maussade s'envola bien vite.

— Je vais au bar. Qu'est-ce que tu veux ? demanda-t-elle avec un grand sourire.

— Choisis pour moi.

Maeva tendit alors le cou de manière exagérée pour s'adresser à quelqu'un qui se trouvait derrière Nicole :

— Et toi, Garrett ?

Nicole se pétrifia. Sa nuque se mit soudain à la picoter.

— Nikki, pourquoi tu n'expliques pas à Garrett ta technique de jeu ? Je suis sûre qu'il serait intéressé par les détails. Et je parie qu'il pourrait te donner quelques conseils techniques !

Sur cette dernière pique, Maeva prit la fuite en direction du bar. Nicole ne pouvait toujours pas bouger.

Non, impossible… Garrett ne pouvait pas être là. Maeva lui faisait une farce. Pourtant, alors qu'elle se décidait à pivoter, elle avait l'intuition qu'elle allait effectivement se retrouver face à son trop fugace amant.

Son regard tomba d'abord sur des boots, remonta sur deux jambes puissantes gainées par un jean noir, puis un T-shirt gris à manches longues, un sourire oblique teinté d'ironie, ensuite et, enfin le sourcil en accent circonflexe.

Qu'avait-il entendu de leur conversation ? se demanda-t-elle avec effroi.

— Que se passe-t-il ? demanda Garrett. Maeva qui faisait sa Maeva, c'est ça ?

Nicole respira plus librement. Ouf ! Au moins, elle évitait les explications embarrassées.

— Oui, exactement.

— Donc vous ne parliez pas de… moi ?

Une flamme polissonne éclairait ses yeux bleus. Nicole ne put bredouiller qu'un « non » lamentable, comme si les mots qu'elle avait eu l'intention de prononcer s'étaient transformés en blocs de granit dans sa bouche, l'empêchant de respirer par la même occasion. Sous le regard narquois de son vis-à-vis, ses joues, son cou, sa gorge s'enflammaient.

Garrett s'approcha d'un pas pour poser la main sur sa taille. Il inclina la tête et elle sentit son odeur virile, mélange de savon et de musc, peut-être avec un soupçon de sciure aussi — elle savait qu'il dirigeait une entreprise de construction. Leurs corps se frôlaient, son souffle lui brûlait la joue, des sensations familières étaient en train de se déployer en elle.

— Ouh, la menteuse ! chuchota-t-il.

Elle n'eut même pas la force de protester. Les souvenirs l'assaillaient. Elle se rappelait sa bouche, ses yeux, son corps musclé… Elle recula d'un pas et toussota pour s'éclaircir la voix.

— Comment se fait-il que tu sois ici ?

— Je devais retrouver Jesse, expliqua-t-il en désignant le petit groupe avec lequel les deux amies étaient arrivées. Je ne pensais pas te trouver là.

Et il ne serait sans doute pas venu s'il avait su, songea Nicole.

— Moi non plus, je ne savais pas que tu serais là.

Sinon, elle se serait recoiffée avant de quitter son appartement. Aurait mis son gloss cerise. Et peut-être une jupe. Mais pas du tout parce qu'elle espérait que ces grandes mains brunes puissent se glisser dessous… Non, sûrement pas ! essaya-t-elle de se convaincre.

Le regard de Garrett trouva le sien.

— Je peux repartir, si ma présence te gêne.

Elle eut à peine le temps de secouer la tête qu'un grand verre de rhum-coca se matérialisait sous son nez.

— Garrett, tu as entendu quand je t'ai dit l'autre jour au téléphone que Nikki allait bien, non ? Elle s'en moque complètement que tu sois là ou pas.

Ce n'était pas tout à fait vrai, mais au moins c'était Maeva qui l'avait dit. Et à en juger par l'air amusé de Garrett, il ne s'en formalisait pas.

— Tu ne m'as pas raconté ton séjour à Denver, sœurette, fit-il remarquer.

— Bah, le boulot, comme d'habitude. Je dois y retourner la semaine prochaine, répondit Maeva en glissant un bras autour de la taille de son frère, le temps d'un rapide baiser.

Nicole écouta la conversation qui s'ensuivit et dont elle connaissait au moins la moitié des dialogues par cœur — ceux de Maeva. Comment était-il possible qu'elle ne se soit pas rendu compte au premier coup d'œil que Garrett était le frère de sa meilleure amie ? Cela lui semblait maintenant inconcevable.

Elle l'avait vu maintes fois en photo. Certes, la plupart montraient un tout jeune homme, mais certaines étaient plus récentes. D'ailleurs, elle lui avait d'emblée trouvé un air familier, quand elle l'avait croisé dans cet escalier, chez Sam, mais son cerveau n'avait pas fait le rapprochement.

A voir le frère et la sœur ensemble ce soir, une chose était sûre : la présence de Garrett ne constituerait pas un problème. Il semblait très décontracté, l'avait saluée gentiment, l'avait taquinée sans montrer aucun signe de malaise ; à présent, il était passé tout naturellement à autre chose et consacrait toute son attention à sa sœur.

Cette dernière avait raison : Garrett Carter était expert dans l'art des relations faciles.

Adossé au bar, Garrett fixait la table de billard sur laquelle Nicole était à demi allongée à plat ventre et visait avec application la boule blanche. Souple, gracieuse, elle jouait, contournait la table, se penchait de nouveau, bien campée sur ses jambes. Tous les regards masculins de la salle semblaient alors se braquer sur ses fesses sublimes, rondes et fermes à la fois.

Il n'était pas le dernier à la reluquer. La seule chose qui le différenciait des autres mâles présents, c'est que lui savait ce qu'il manquait. Lui s'était agenouillé entre ses cuisses ouvertes. Lui avait fait courir sa main sur son ventre plat, goûté la saveur fruitée de sa peau…

Il les enviait donc, ces ignorants, qui devaient se dire en cet instant même qu'elle n'était sans doute pas aussi délicieuse qu'elle en avait l'air.

Nicole et Maeva se claquèrent mutuellement la paume en signe de victoire. Elles venaient de remporter la partie contre deux garçons, qui, faisant contre mauvaise fortune bon cœur, proposèrent de leur offrir à boire.

Méfiant, Garrett étudia les types entre ses paupières plissées. Ils avaient l'air plutôt inoffensifs, mais certains séducteurs sans scrupule cachaient bien leur jeu.

Il reporta son attention sur les deux filles. Maeva était égale à elle-même : loquace, extravertie. Elle faisait passer les boissons, participait à la conversation, recevait blagues et flatteries avec une égale bonne humeur.

Nicole n'avait pas du tout la même attitude. Elle bavardait et souriait, naturelle, spontanée, mais sans aucune arrière-pensée. Elle ne flirtait pas. Même quand la main d'un des garçons frôla la sienne, elle ne réagit pas plus que si cela avait été Maeva.

Garrett connaissait des filles qui utilisaient la technique de la bonne copine pour draguer, mais Nicole n'était pas dans ce jeu-là. Même si elle restait ouverte, sociable, disponible, tout dans son comportement indiquait qu'aucun des deux gars avec lesquels les deux amies bavardaient n'avait de chances de la séduire.

— Alors ça va, mon vieux Garrett ? lança la voix de Jesse à côté de lui.

Son vieil ami venait de le rejoindre, son frère Sam sur les talons.

— Oui. Je me demande juste comment j'ai fait pour passer si longtemps à côté de… ça, avoua Garrett en désignant Nicole d'un léger coup de menton.

— Ne me demande pas de conseils à ce propos ! rétorqua Jesse. J'ai failli l'inviter à sortir avec moi un soir, mais elle m'a casé si vite dans la catégorie « bon pote » que je n'ai même pas tenté le coup.

Jesse était l'un des rares amis qu'il n'avait pas perdu de vue depuis le lycée. Un garçon sympathique et fiable, qui avait toujours été là pour lui à l'époque où il avait perdu son père et que soudain son monde s'était écroulé, lui laissant de lourdes responsabilités sur les épaules. Jesse avait su de temps en temps mettre de côté les filles et les matchs de foot pour répondre présent quand son ami croulait sous des responsabilités qui n'étaient pas de son âge. C'est lui qui avait demandé à sa grande sœur de faire un peu de baby-sitting pour garder Bethany, Carla, Erin et Maeva afin que Garrett puisse au moins s'échapper quelques heures en soirée, une ou deux fois par mois.

Jesse ne lançait pas de paris idiots. Et Jesse le comprenait, peut-être parce qu'étant artiste, il avait une sensibilité plus exacerbée que la plupart des dadais mal dégrossis de leur entourage. Quoi qu'il en soit, il avait toujours été le meilleur des amis, le seul à qui Garrett puisse envisager de se confier.

*
* *

En dépit de cette sympathique réunion entre hommes, Garrett s'aperçut au bout d'une heure qu'il ne pouvait empêcher son regard de dévier sur la jolie rousse à la crinière indomptable et au rire contagieux qui se tenait accoudée au comptoir.

— Elle est comme ça avec tout le monde ? demanda-t-il à Sam.

— Tu veux dire sympa, cool ? Oui, mais aucun homme ne peut vraiment l'approcher. Elle met tout de suite des barrières. Elle a eu une expérience malheureuse il y a quelques années, je crois, et depuis elle reste en retrait. Et ses amis veillent sur elle, en plus. Alors inutile de se mettre en frais, si tu vois ce que je veux dire.

Garrett tourna vivement la tête vers son ami.

— Tu parles de moi, là ?

La réponse était oui, de toute évidence. Incroyable ! Le petit frère de Jesse était en train de lui interdire de tenter sa chance avec Nicole. C'était un peu fort.

— Ne t'inquiète pas, je ne vais pas l'approcher, marmonna-t-il, contrarié.

Sam sourit :

— Tu l'as *déjà* approchée. Et cela fait une heure que tu ne la quittes pas des yeux.

Garrett ouvrit la bouche pour protester. A cet instant, son regard croisa celui de Nicole, qui le dévisageait. Il resta comme foudroyé par l'éclat de ses yeux en amande. Puis il vit son délicat visage s'empourprer et des images torrides envahirent son cerveau.

Malgré lui, il sourit et, oubliant qu'ils n'étaient pas seuls, le regard toujours plongé dans le sien, il se tapota la pommette pour lui faire comprendre qu'il l'avait vue rougir.

Elle s'empourpra de plus belle et un sourire hésitant naquit sur ses lèvres.

Un sourire qui n'avait rien à voir avec les sourires amicaux qu'elle avait distribués toute la soirée.

Un sourire qui lui fit l'effet d'un véritable coup de poing.

Incrédule, il se tourna vers ses deux amis. Jesse laissa échapper un petit rire :

— Je commence à me demander si la vraie question n'est pas plutôt comment *elle* a fait pour passer à côté de toi !

7.

— Encore toi ? !

Nicole jeta un regard surpris à Garrett, qui venait de se jucher sur un siège vide à côté d'elle, devant la tablette étroite qui courait le long du mur du bistrot branché dans lequel elle se trouvait avec quelques amis.

Au fond, elle n'était pas si surprise que cela : depuis trois semaines, elle n'arrêtait pas de le croiser.

Au début, ils s'étaient étonnés. Puis il était devenu évident que ces rencontres incessantes n'étaient nullement le fruit du hasard : ils avaient tant d'amis en commun qu'ils se retrouvaient fatalement dans les mêmes lieux.

Ils en avaient discuté en aparté, pour s'assurer que ni lui ni elle n'était mal à l'aise, et avaient abouti à la conclusion que tout allait bien.

Enfin presque…

Car entre eux, la conversation roulait toujours sans contrainte, dans le plus grand naturel. A tel point que, souvent, ils se rendaient compte tout à coup qu'ils avaient perdu le reste du groupe, absorbés par leur discussion. Et c'est là que la situation devenait un peu gênante. Leurs rires s'éteignaient. Le regard de Nicole dérapait sur la bouche de Garrett, son col de chemise ouvert, sa peau bronzée. Elle se reprenait dans un sursaut, faisait semblant de s'aviser de l'heure tardive et prenait la fuite. Une autre fois, c'était lui qui se souvenait brusquement d'un prétendu rendez-vous matinal prévu le lendemain ;

ou feignait de reconnaître quelqu'un pour s'empresser de rejoindre le groupe.

Nicole espérait bien que les choses allaient se normaliser entre eux. Sauf que quand les longues jambes de Garrett frôlaient les siennes, comme en cet instant sous la tablette en formica, l'image de leurs corps emmêlés s'imprimait dans sa mémoire et elle comprenait qu'ils n'étaient pas près de se considérer comme de simples amis.

— Salut, marmonna-t-il en guise de réponse.

Leurs amis, qui bavardaient avec animation comme d'habitude, ne parurent pas remarquer la tension latente. Mais si quelqu'un avait tourné la tête de leur côté, la flamme brûlante qui illuminait le regard de Garrett n'aurait pu passer inaperçue.

Nicole déploya son menu plastifié, tel une sorte de bouclier, et murmura pour elle-même :

— Ça finira bien par passer.

Mais il pressa alors sa cuisse contre la sienne ; cette fois, le contact était intentionnel.

— Je commence à en douter fortement, rétorqua-t-il.

Garrett se redressa et jeta un coup d'œil à son reflet dans la glace des toilettes pour hommes. Il était venu s'asperger le visage pour essayer d'éteindre le désir qui le consumait.

En pure perte.

Il avait espéré que cette soirée serait plus facile à supporter que les autres : comme ils assistaient à un concert dans un petit café de quartier, ils ne pourraient donc pas parler.

Encore une illusion. Parce qu'il pouvait toujours la dévisager, voir son regard chercher le sien, et parce qu'il n'avait pas besoin de mots. Il la connaissait déjà trop bien. Qu'elle soit là ou pas, chaque fois qu'il sortait, il en apprenait davantage sur Nicole Daniels. Et elle lui plaisait de plus en plus.

Elle était drôle, futée, sympa, attentive aux autres, loyale en amitié et… bon sang, il avait encore son goût dans la bouche !

Pourtant, elle lui demeurait inaccessible. Parce qu'il ne voulait pas coucher avec une amie de sa sœur et qu'elle ne voulait pas coucher avec le frère de sa meilleure amie.

Ils en avaient parlé déjà, longuement, et sans doute plus qu'il n'était nécessaire. Et pourtant, rien n'y faisait. Surtout pas ce petit rafraîchissement de rien du tout dans les toilettes, aussi utile qu'une larme pour éteindre un feu de forêt.

Il allait falloir employer de plus grands moyens. Comme de s'enfoncer les arguments dans le crâne à grands coups de marteau. Propriétaire d'une entreprise de construction, il ne lui serait pas trop difficile de trouver quelqu'un de serviable pour s'acquitter de cette mission…

Avec un soupir, il sortit des toilettes et déboucha dans le couloir. Il se figea en apercevant Nicole, à l'autre bout. Il maudit alors cette fichue attirance magnétique qui, avec ou sans mots, les poussait l'un vers l'autre de manière irrésistible.

Il s'avança vers elle.

Dans l'air flottaient les notes de guitare qui s'échappaient de la petite salle bondée. Mais dans le couloir, ils étaient seuls.

A mesure que la distance diminuait entre eux, il vit, avec une jubilation dont il aurait dû avoir honte, l'expression de Nicole changer au moment où elle comprit ses intentions. Son regard s'agrandit, chercha une issue, alors même que tous deux savaient qu'elle n'avait pas plus envie de fuir que lui.

Garrett s'immobilisa à sa hauteur et glissa l'index dans le passant de son jean — alors qu'il mourait d'envie d'immiscer sa main entre le pantalon et la peau de son ventre. Puis il l'entraîna vers une volée de marches qui montaient vers le premier étage.

— Qu'est-ce qu'il y a là-haut ? demanda-t-elle en tendant le cou.

— Aucune idée. Mais il faut qu'on parle.

— Garrett, non... Je venais juste te dire au revoir. Je... je préfère rentrer tôt ce soir.

Il savait bien pourquoi : parce que la tension augmentait entre eux à chaque nouvelle rencontre, chaque nouvelle discussion, chaque frôlement survenu de manière fortuite ou délibérée. Par conséquent, elle fuyait.

Mais trop tard.

— Garrett, tu ne peux pas m'emmener où tu veux comme ça, protesta-t-elle avec un rire nerveux.

Pourtant, elle continuait de gravir les marches, alors que tous deux savaient pertinemment qu'elle aurait pu les redescendre. Alors bien sûr qu'il pouvait l'emmener. A moins qu'elle n'utilise le mot magique : « Non ».

— Cette première nuit, Nikki... Pourquoi m'as-tu ramené chez toi ?

Nicole se figea sur le palier, hypnotisée par ce regard qu'elle aurait dû à tout prix éviter. Ils avaient déjà parlé de tout cela. Mais ni lui ni elle n'avait réussi à oublier.

— Parce que c'était la première fois depuis une éternité que j'avais envie de plus qu'une simple amitié, répondit-elle en reculant.

Elle était au bord de la plus haute marche et la main de Garrett glissa dans son dos pour la retenir, assurer son équilibre.

Pourquoi évoquaient-ils cette nuit-là ? C'était une erreur. Ça ne pouvait pas continuer ainsi. Au début, ils s'étaient amusés de cette atmosphère brûlante, de cette alchimie qui persistait entre eux. C'était comme un petit secret honteux qu'ils partageaient, presque une plaisanterie, un défi à relever.

Mais les semaines passaient et la tension ne faisait que croître. Se contrôler devenait de plus en plus difficile et frustrant. Désormais ce n'était plus drôle du tout.

Elle désirait cet homme.

Bien plus qu'elle n'aurait dû.

— Je pensais ne courir aucun risque, je pensais que les choses seraient simples, basiques, soupira-t-elle. Une parenthèse agréable sans lendemain, d'autant que je ne connaissais même pas ton prénom !

Elle s'était trompée du tout au tout.

Garrett fit un pas en avant et elle se retrouva dos au mur, la poitrine contre son torse. Leurs têtes étaient si proches que leurs souffles se mêlaient.

— Qu'est-ce que tu fais ? chuchota-t-elle.

— Je me souviens. C'était bon, non ?

Elle n'aurait pas dû l'écouter. Mais la Nicole qui n'avait jamais vraiment été sûre de quoi que ce soit dans le domaine du sexe, qui n'avait pas encore cicatrisé après le désastre de sa dernière relation, cette Nicole-là buvait ses paroles.

— Quoi donc ? Le fait de ne pas connaître ton prénom ? le taquina-t-elle.

— Non, ça, c'était juste canaille.

Elle aurait pu se mettre à ronronner. Elle, canaille ? C'était bien la première fois qu'on lui associait cet adjectif.

— Ce qui était bon, reprit-il dans un murmure, c'étaient ces petits bruits de gorge que tu faisais, et ton abandon, ton impudeur…

— Tu vois, tu es en train de murmurer à mon oreille, protesta-t-elle faiblement.

— Peut-être bien que oui.

Le bleu des yeux de Garrett, seigneur ! Sa bouche…

— Je croyais qu'on était tombés d'accord pour être des amis, rien de plus, haleta-t-elle.

— La frontière a déjà été franchie, Nikki. Si tu veux savoir, je la franchis chaque fois que je te regarde. Je n'arrête pas de penser à ces petits gémissements et je veux les entendre encore ; sauf que cette fois, je veux aussi t'entendre prononcer mon prénom.

— Garrett…

Soudain, les barrières invisibles qui les séparaient, la frustration, les « pourquoi » et les « pourquoi pas », tout cela disparut, remplacé par le contact physique. Rien d'autre. La sensation de ses pectoraux durs pressés contre ses seins, ses tétons durcis qui pointaient…

Elle gémit.

— Oui, exactement comme ça, chuchota-t-il.

Ses lèvres la frôlaient à peine, dans un avant-goût grisant du moment où elles réclameraient les siennes ; un avant-goût qui la prévenait que rien, jamais, ne la rassasierait des baisers de cet homme.

Sa bouche se posa sur la sienne, légère, glissa sur ses lèvres dans une requête muette, les entrouvrit d'une pression plus insistante à laquelle elle n'aurait pas eu l'idée de résister. Il retenait encore cette passion qu'elle réclamait de toute son âme, faisant monter la pression jusqu'à la rendre folle, jusqu'à la faire supplier, non pas en paroles mais par son langage corporel : ses mains qui se crispaient sur le tissu de sa chemise, sa taille qui se cambrait entre ses mains, sa langue qui s'enhardissait.

Elle laissa échapper un soupir, qui se transforma en plainte. Alors, Garrett céda enfin à son appel. Il approfondit son baiser tandis que ses bras l'entouraient, la retenaient captive de sa chaleur et de ses muscles. Dans une explosion de sensations, elle savoura cette délicieuse impression d'emprisonnement, cette envie de fusion totale.

Déjà, les mains de Garrett se déplaçaient. L'une remontait sur sa nuque, tandis que l'autre s'égarait sur la rondeur de sa fesse. Elle savait ce qu'il ferait ensuite. Elle en avait rêvé, nuit après nuit.

— Dis-le, Nikki.

— Garrett…

La main sur sa joue, il lui renversa la tête en arrière afin de s'approprier davantage encore sa bouche, s'en rendre maître, la faire gémir dans l'aveu irrépressible de son désir. Son autre main se crispa sur sa fesse, plaquant son bassin contre le sien pour lui faire sentir la dureté de son érection. Elle laissa échapper un autre gémissement. Elle était en train de fondre. De perdre tout contrôle.

Enfin, il arracha sa bouche à la sienne pour chuchoter d'une voix enfiévrée :

— Partons. Sortons d'ici. Ma voiture est garée tout près.

Le son de sa voix et le sens de ses paroles dissipèrent brusquement le brouillard de volupté qui avait englouti Nicole. Elle se vit de l'extérieur, pâmée dans les bras de Garrett, sur le palier d'un escalier, dans un lieu public, les cheveux en bataille, le souffle court…

Mon Dieu…

— Non, Garrett.

Il lui suffit de reprendre sa bouche et de la soulever par les hanches pour qu'elle lui ceigne les reins de ses jambes. A travers le pantalon, son membre dur frottait contre l'endroit le plus sensible de son corps. Sa main droite la soutenait toujours, mais la gauche s'était refermée sur son sein dont, du pouce, il agaçait la pointe, déclenchant des ondes de plaisir qui la transperçaient telles des flèches.

— Garrett, je t'en supplie…

C'était bon, si bon. Mais cela devait cesser. Elle ne pouvait pas se renier ainsi, oublier toute maîtrise, sans songer aux conséquences.

— Tu as envie de moi, Nicole. Dis-le.

Elle ouvrit la bouche, mais aucune parole cohérente ne franchit ses lèvres. Garrett n'avait pas besoin de réponse apparemment. Sans même qu'elle s'en aperçoive, il avait ouvert le bouton de son jean et glissé la main dans le creux de ses reins, entre ses fesses ; du bout des doigts, il atteignit la lave brûlante de sa féminité en fusion.

— Tu es si…

— Arrête !

Nicole ne savait pas d'où lui venait la force de s'opposer aux caresses de Garrett, alors même que tout son corps les appelait. Elle n'avait pas crié, elle avait parlé d'une voix presque inaudible et s'étonnait même qu'il ait pu l'entendre. Mais voilà qu'il retirait sa main, qu'il s'écartait du mur afin qu'elle puisse reprendre appui sur ses deux pieds. Elle vit combien cela lui coûtait, et elle aussi agissait de la sorte à contrecœur.

Avec un grondement qui trahissait sa frustration, Garrett appuya son front contre le sien, tout en lui reboutonnant son jean.

Il l'avait entendue et se pliait à sa volonté. Paradoxalement elle ne l'en désirait que davantage. Et c'était bien le problème. Car elle n'était pas prête.

A cause de son bon à rien de père, qui lui avait donné un exemple déplorable, elle s'était engagée dans ses précédentes histoires avec la peur secrète de l'abandon.

Avec Paul d'abord : ils étaient si jeunes à l'époque ! Elle avait compris qu'il ait préféré rompre au bout du compte, et s'en était sortie avec seulement quelques cicatrices au cœur. Mais avec Joel, elle avait tant souffert ! Elle lui avait fait confiance, avait bâti des projets, rêvé leur futur commun et s'était finalement sentie si humiliée qu'il lui avait fallu trois années pleines pour trouver de nouveau le courage de… plonger le bout de l'orteil dans la piscine ?

Avec Garrett, elle avait cru pouvoir s'octroyer un agréable interlude, en toute sécurité. Résultat des courses, elle s'était trompée sur toute la ligne : son cœur était de nouveau en danger, elle le pressentait.

— Nicole, cette attirance entre nous ne va pas s'évaporer comme par enchantement, tu sais.

— Pas si nous nous y prenons de cette manière, c'est sûr !

Il jeta un coup d'œil aux alentours, comme s'il prenait seulement conscience de l'endroit où ils se trouvaient.

— Tu as raison, approuva-t-il. Je ne sais pas ce qui m'a pris, je…

— Moi non plus, coupa-t-elle avec un petit rire étouffé. Et je crois que tu vas vraiment finir par me prendre pour une fille facile !

— Sûrement pas.

Il lui prit le menton du bout des doigts pour plonger son regard dans le sien. Puis, saisissant sa main, il l'entraîna vers le rez-de-chaussée. Là, ils s'assirent sur la première marche. La musique en provenance de la salle leur parvenait distinctement. Le guitariste interprétait un morceau dont les notes mélancoliques trouvaient une résonance douloureuse dans la poitrine de Nicole.

Garrett se frotta le visage.

— Je sais bien que j'ai dit que ça ne fonctionnerait pas entre nous, mais on dirait bien que ça marche tout seul, au contraire. Presque sans que nous ayons notre mot à dire. Tu sais, pour ce qui est de ma sœur, je pense pouvoir régler le problème.

— Pas moi.

Maeva était sa meilleure amie, son roc, la personne sans laquelle elle ne pouvait imaginer sa vie, la seule vers qui elle pourrait se tourner si jamais quelqu'un s'avisait de lui briser le cœur une fois de plus.

Garrett tourna la tête pour l'envelopper d'un regard perplexe.

— Tu as peur de me faire souffrir et que Maeva t'en veuille par la suite ?

— Je ne sais pas. C'est compliqué. Risqué. Par exemple, le mois dernier, bêtement, j'ai lancé une pique à ton propos. Elle l'a plutôt mal pris. Et je ne te connaissais même pas à l'époque !

— Quel genre de pique ? demanda-t-il, rembruni.

Nicole se mordit l'intérieur de la joue. Zut ! Pourquoi avait-elle abordé le sujet ? Elle n'avait pas envie de le froisser mais maintenant, il attendait une réponse.

— Une boutade idiote qui parlait de maladies vénériennes, à cause de ta réputation de coureur. C'était vraiment déplacé, j'en suis désolée.

— Cela avait trait à « l'homme qui murmurait à l'oreille des filles », je suppose ? Oui, je comprends. Et c'est plutôt mérité.

— C'était un jugement à l'emporte-pièce, mais maintenant que je te connais…

— … tu te rends compte que je suis un homme très différent de ce que laissent entendre les rumeurs. Et tu viens d'ailleurs d'en avoir la preuve dans cet escalier, ricana-t-il, sarcastique.

Elle aurait pu en effet tirer des conclusions hâtives de la situation si elle n'avait eu une vision plus profonde de l'homme qu'était en réalité Garrett Carter, des valeurs qu'il prisait. Elle connaissait son instinct de protection exacerbé. Elle le sentait aussi déstabilisé qu'elle par ce désir torride qui les poussait l'un vers l'autre, et voyait bien qu'il avait essayé de s'y opposer en toute sincérité pour en rester au stade de l'amitié.

Sachant que les Carter maniaient l'humour au quotidien pour se prouver leur affection, elle osa plaisanter :

— Je croyais les rumeurs exagérées, mais là, j'avoue que la réalité dépasse la fiction !

Il laissa échapper un rire bref et ils échangèrent un sourire complice. Une fois de plus, ils étaient sur la même longueur d'ondes.

— Rappelle-moi pourquoi ça ne peut pas marcher entre nous, déjà ? demanda-t-il en se penchant vers elle.

— Parce que ni toi ni moi ne voulons risquer d'abîmer

le lien qui nous unit à Maeva. Jamais nous n'arriverons à cloisonner les relations. Il m'est déjà arrivé de perdre à cause d'une rupture des amis très proches, qui avaient pris une immense importance dans ma vie. Je ne veux pas que cela recommence.

Ainsi, elle n'avait pas oublié la mère de Paul, qui l'avait considérée un temps comme la fille qu'elle n'avait jamais eue et qui, par la suite, préférait quitter le supermarché sans faire ses courses plutôt que de devoir lui parler. Elle n'avait pas non plus oublié les ex-amis qui, brusquement, faisaient semblant de ne pas la voir dans la rue. Ni ce sentiment de rejet cuisant qui l'avait désorientée, effrayée même, alors qu'elle s'était crue dans un univers stable et sécurisé.

Lorsqu'elle était venue s'installer à Chicago pour démarrer une nouvelle vie, c'est Maeva qui lui avait rendu confiance en elle, Maeva qui lui avait ouvert son cœur quand tant d'autres pseudo-proches lui avaient fermé le leur.

Voyant que Garrett paraissait sur le point d'objecter, elle le devança :

— Ça ne peut pas marcher entre nous parce que tu es un type bien. Je sais tout ce que tu as sacrifié pour ta famille. Et que tu es capable d'apprécier à leur juste valeur les choses simples, comme un coucher de soleil. Même si tout le monde raconte que tu n'es qu'un coureur de jupons.

— Dis donc, c'est toi qui murmures à mon oreille maintenant.

Elle secoua la tête en souriant.

— Non, je suis en train de t'expliquer que tu es trop bien pour que je ne tombe pas tôt ou tard amoureuse de toi. Et je ne suis pas prête pour une histoire sérieuse, même si je n'arrive pas à vivre une relation purement sexuelle. Crois-moi ou pas, c'est en abordant ce sujet que ton nom a été mentionné l'autre jour, quand je discutais avec Maeva. Pour rire, elle m'a dit que tu pourrais me donner des leçons de désinvolture et de légèreté, pour m'apprendre à ne pas m'attacher. Elle a même menacé de nous caser ensemble. Désopilant *a posteriori*, non ?

— Alors qu'allons-nous faire ?

— Ce que nous avions décidé depuis le début : faire comme si de rien n'était. Trouver le moyen de se changer les idées, jusqu'à ce que cet attrait s'émousse et disparaisse. Cela finira bien par arriver.

— Bon, d'accord. J'ai compris.

Il se remit debout et lui prit la main pour l'aider à se relever à son tour. Les yeux rivés à leurs doigts entrelacés, Nicole demanda à voix basse :

— Plus de murmures à mon oreille, d'accord ?

Une dernière fois, il lui caressa le dos de la main de son pouce calleux, avant de consentir à la lâcher.

— Non. Pas ce soir, en tout cas.

8.

Les mains crispées sur le volant, Garrett bouillait intérieurement. Depuis vingt minutes maintenant, il subissait la logorrhée de sa petite sœur, qui semblait inconsciente de l'envie féroce qu'il avait de piler le long du bas-côté pour la faire descendre et lui laisser finir le trajet à pied.

— ... tout ce que je dis, moi, c'est que tu n'es pas obligé d'être tout le temps si intransigeant. C'est vraiment chi... enfin pénible, quoi, conclut-elle en jetant un regard à leur grand-tante Gloria assise sur la banquette arrière.

Mais celle-ci avait l'attention fixée sur les façades des maisons qu'ils dépassaient et ne se formalisait pas du langage fleuri d'expressions discutables de Maeva.

Garrett profita de ce répit pour rétorquer :

— Tu crois que ça me fait plaisir d'endosser toujours le rôle du rabat-joie ? Mais si je ne dis pas à Erin d'ouvrir les yeux pour voir ce type tel qu'il est, qui va le faire ? Toi ? Beth ? Carla ? Non, je ne crois pas. Vous êtes tellement tourneboulées par « l'amûûûr », vous les filles, que vous ne voyez même pas le problème quand un gars gagne sa vie en tressant des paniers d'osier.

— George est un artiste !

— Tu parles d'un artiste ! Il vend ses créations à la maison de retraite.

Maeva se renfrogna et croisa les bras sur sa poitrine dans une attitude belliqueuse.

75

— Peu importe son métier. Erin est amoureuse de lui. Oh ! tu es impossible ! Dire que je me réjouissais de te revoir. Où étais-tu passé ces derniers jours, à propos ?

Il se justifia en quelques grommellements : des rendez-vous, un travail de fou… Puis il feignit de se concentrer sur sa conduite. Il n'avait surtout pas envie de reprendre cette conversation.

Hélas, Maeva restait Maeva.

— Avec toi, c'est tout l'un ou tout l'autre, embraya-t-elle. Pendant ces dernières années, nous t'avons à peine vu, juste le temps pour toi de relever le nez de tes bouquins pour critiquer ce qui ne te plaisait pas ; et tout à coup, tu es tout le temps sur notre dos. Puis tu disparais de nouveau sans donner de nouvelles !

— Tu es une grande fille, non ? fit-il remarquer avec aigreur. Tu affirmes tout le temps que tu es capable de te débrouiller seule.

— Oui, parce que d'habitude Nikki n'est jamais loin et que je sais que je peux toujours compter sur elle. Mais dernièrement, elle se fait rare, elle aussi. Elle a toujours une bonne excuse, le travail, la fatigue…

Garrett serra le volant de toutes ses forces.

— Tu as quelque chose à voir là-dedans, Garrett ? demanda soudain Maeva d'un ton soupçonneux.

— Pas du tout, se défendit-il.

Le silence retomba dans l'habitacle. Garrett surprit le nouveau regard suspicieux que lui décochait sa sœur et s'insurgea :

— Quoi ?

— J'avais l'impression que tu l'appréciais.

— Oui, c'est vrai.

— Et tu sais bien que j'ai toujours voulu avoir une sœur, Garrett.

— Je te rappelle que tu en as déjà trois.

De mieux en mieux : elle s'amusait avec lui, à présent. Maeva avait toujours été un vrai petit démon. « Respire, calme-toi, et ne commence pas à chercher une aire de stationnement pour la débarquer ! » s'enjoignit-il.

— Je parle d'une *petite* sœur. Nikki a deux mois de moins que moi.

— Oh ! je t'en prie…

La main parcheminée de tante Gloria jaillit par-dessus la banquette pour pincer la joue de Garrett.

— Ah, enfin, mon chéri ! Tu en as fini avec ta vie de patachon, tu vas te ranger. C'est merveilleux ! Cette Nicole est une fille adorable.

Encore une façon de lui rappeler — comme s'il en avait eu besoin — que Nicole était à tu et à toi avec toute la famille Carter, y compris leur aïeule.

— Franchement, tante Gloria, tu n'y es pas du tout, maugréa-t-il, tout en se demandant pourquoi il se donnait le mal de protester.

— Ah non ? Alors que se passe-t-il entre vous ? s'enquit Maeva avec malice.

Pourquoi, mais pourquoi diable s'était-il embourbé dans cette discussion sans fin ? Sa sœur autant que sa grand-tante étaient désormais déterminées à lui arracher le scoop de l'année, usant tour à tour d'agaceries et d'encouragements. Alors peut-être que s'il disait les choses carrément, à voix haute, elles finiraient par comprendre ?

— Je ne veux pas me marier.

— Oh, mon Dieu ! glapit Maeva. Je ne savais pas que Nicole avait demandé ta main !

Garrett serra les dents.

— Arrête. J'essaie juste de vous expliquer… Oh ! zut à la fin ! Ce n'est pas que je considère qu'elle n'est pas assez bien pour moi. Au contraire. Elle est parfaite. Je veux dire… Je ne comprends même pas pourquoi ces deux crétins à qui elle a été fiancée l'ont laissée partir. N'importe qui pourrait s'estimer chanceux d'avoir une fille comme ça. Non, ce n'est pas du tout qu'elle ne me plaît pas, n'allez pas croire ça. C'est qu'elle mérite mieux que ce que j'ai à lui offrir, voilà tout.

— Ne t'énerve pas. Ta réaction est normale, assura Maeva, soudain conciliante (elle aimait souffler le chaud et le froid, il le savait). Pendant des années, tu as tout porté à bout de bras. Après la mort de papa et maman, tu as eu d'énormes responsabilités. Tu t'es concentré sur nous, tu n'as pas voulu t'éparpiller. Et maintenant, tu as du mal à laisser les gens t'approcher. Tu n'es pas encore mûr pour envisager de t'engager sur le plan sentimental de manière durable.

Garrett leva les yeux au ciel. Voilà que sa sœur lui ressortait ses cours de première année de psycho ! Ses rapports avec Nicole — comme avec les autres filles avant elle — n'avaient rien à voir avec ses responsabilités. Ni avec la mort de leurs parents. Certes, en dehors de Jesse et de ses sœurs, il n'avait guère d'intimes. Mais c'était faute de temps, pas parce qu'il se tenait à distance des gens. Avec Nicole, la complicité avait été immédiate. Il ne connaissait personne avec qui il soit plus à l'aise pour discuter.

Depuis des années, il était le mentor, le « rabat-joie » comme le lui reprochait Maeva. Il avait peur pour ses sœurs, c'était plus fort que lui. Comme pour Erin avec son fichu vannier. Comment s'étonner dès lors qu'il soit à la recherche de relations distrayantes et sans conséquences ?

— Ce n'est pas une attitude temporaire, dit-il calmement. Je pense ne jamais me marier. Or, la plupart des femmes s'investissent dans une relation en espérant qu'un jour celle-ci prendra un tour sérieux. Nicole a été deux fois fiancée : elle plus qu'une autre attend que son rêve de tulle et de grains de riz devienne enfin réalité.

Maeva avait pris une mine songeuse.

— Je ne sais pas, Garrett. C'est vrai, je pense qu'un jour elle voudra se marier. Mais je crois que pour l'instant, elle doit juste réapprendre à être bien avec quelqu'un, à s'amuser. Et d'après ce que j'ai entendu dire, tu serais un gars plutôt rigolo.

Il laissa échapper un ricanement cynique. En ce moment, il ne se sentait pas drôle du tout.

— En tout cas, je ne suis pas l'homme qu'il lui faut.

Ils avaient déjà pris leur décision, il s'y tiendrait. Le problème ne venait pas seulement de leurs projets de vie divergents, mais aussi de la jeune femme piquante assise à son côté.

— Et ça ne te dérange pas ? insista Maeva.

— Non, pas du tout.

Il espérait qu'il finirait par atteindre le détachement souhaité. Un jour. Bientôt.

— Bon, tant mieux, répliqua sa sœur. Ce ne sont pas les types marrants qui manquent, de toute façon. Et elle ne va pas faire tapisserie longtemps.

Voilà. Très bien.

Très bien, vraiment ? Pourquoi alors son cœur se serrait-il douloureusement à cette pensée ?

— Ah ça non, elle ne restera pas longtemps seule, renchérit tante Gloria. J'en suis bien certaine.

Maeva se retourna vers la banquette arrière.

— Tu imagines, tante Gloria : rien qu'hier, deux de ses collègues l'ont invitée à boire un verre. A une heure d'intervalle !

— Une fille aussi charmante remporte forcément beaucoup de succès auprès de la gent masculine, opina la vieille dame.

Garrett fulminait, mâchoires crispées. Bien sûr. Logique. Nicole était magnifique. Et quand un don Juan de bas étage avait voulu lui offrir un verre, elle avait sans doute arboré ce petit sourire oblique adorable, le genre de sourire obsédant qui donnait envie à un homme de…

Un coup de Klaxon retentit. Garrett donna un coup de volant, tiré de ses pensées juste à temps pour éviter d'emboutir un véhicule qui venait en sens inverse.

— Eh Garrett, attention ! Tante Gloria vient de se cogner la tête.

— Désolé.

Bon sang ! Il devait se reprendre, mais c'était la faute de Maeva, aussi. Qu'elle se taise. Ou bien qu'elle en vienne à la conclusion un peu plus rapidement !

Tante Gloria tapota la vitre, apparemment remise de ses émotions.

— Regardez cette maison !

— Oh oui, j'adore le jardin, approuva Maeva.

Garrett retenait son souffle. Impossible que sa sœur se résigne si facilement. Et même si elle était vraiment passée à autre chose, tante Gloria allait forcément en rajouter une couche.

— Mes rosiers n'ont jamais de telles floraisons. J'ai pourtant mis des coquilles d'œufs et du marc de café.

— C'est peut-être une question d'exposition ? Ou d'arrosage ?

Garrett explosa, à bout de patience.

— Maeva, finis tes phrases ! Nicole, qu'a-t-elle répondu ?

Sa sœur tourna la tête dans sa direction et, dans le rétroviseur central, il croisa le regard de tante Gloria. La première avait un petit air de satisfaction exaspérant et la seconde affichait une expression entendue.

— Ce qu'elle a répondu… mais à qui ?

Furieux, il fusilla Maeva de ce fameux regard qui lui assurait une obéissance immédiate quand elle était petite, mais qui malheureusement semblait avoir perdu tout pouvoir coercitif. Sa sœur se contenta de croiser les bras, le menton pointé en avant.

— Ah… Tu veux savoir ce qu'elle a répondu à tous ces types qui veulent sortir avec elle ?

Tous ces types ? Mais combien y en avait-il ?

— Oui, avoua-t-il en grinçant des dents.

— La dernière fois que nous en avons parlé, elle n'avait pas encore fait son choix, rétorqua Maeva, qui s'examinait maintenant les ongles. C'est une question de temps. Rien ne presse, mais elle sait qu'un rendez-vous est exactement ce qu'il lui faut pour se changer les idées.

Se changer les idées…

Garrett se gara devant l'allée qui remontait vers la maison de Carla. La porte d'entrée s'ouvrit dans la foulée sur sa sœur, son mari et leurs deux fillettes, venus les accueillir.

Tandis que Maeva et tante Gloria quittaient le véhicule, il demeura vissé sur son siège.

Se changer les idées.

Cela signifiait que Nicole pensait toujours à lui, qu'elle n'avait toujours pas fait le deuil de leur relation, mais qu'elle avait décidé de prendre le taureau par les cornes pour tourner enfin la page.

Toc, toc !

TOC, TOC, TOC !

Le cœur de Nicole s'emballa, au même rythme effréné que les coups de plus en plus virulents contre sa porte.

Garrett…

Elle avait reçu pour tout avertissement un texto plutôt sibyllin de Maeva, qui n'avait pas répondu en retour à son message. Que lui voulait son frère ?

Deux semaines après l'épisode torride dans cette maudite cage d'escalier, après tout ce temps passé à l'éviter comme la peste, à tâcher d'oublier ces sensations vertigineuses, voilà qu'il venait frapper à sa porte.

Elle n'était pas obligée d'ouvrir. Elle pouvait retourner

s'enfermer dans sa chambre, éteindre la lumière et rester au lit jusqu'à ce que l'aube pointe son nez.

Peu importe si Garrett avait vu les fenêtres de l'appartement illuminées et s'il savait qu'elle était là. Il comprendrait. Et peut-être même ne lui en voudrait-il pas.

Alors pourquoi se dirigeait-elle vers la porte ? Parce qu'il était malpoli de ne pas le recevoir, alors qu'il venait de quitter une fête familiale pour refaire quarante minutes de voiture dans le seul but de la voir ?

Pas du tout.

La vérité, c'était qu'elle éprouvait cette sensation lancinante dans la poitrine et dans le ventre, ce manque intolérable.

Elle voulait le voir. Elle n'avait rien désiré plus fortement de toute sa vie.

Elle tendit une main tremblante vers la poignée et perçut aussitôt la force magnétique qui les aimantait à travers le battant. Celui-ci pivota et Garrett apparut, avec ses yeux bleu piscine et son sourire canaille.

Elle était en train de commettre l'erreur de sa vie.

Un bras solide se glissa autour de sa taille. Une main lui saisit la nuque. Il se pencha et chuchota à son oreille :

— J'ai entendu dire que tu avais besoin de te changer les idées.

Tout s'éclairait ! Maeva avait répété à son frère cette partie de leur conversation, de manière tout sauf innocente à n'en pas douter. Et Garrett avait réagi au quart de tour.

Les joues en feu, Nicole chercha désespérément quelque chose à répondre ; mais son expression et la lueur dans son regard devaient trahir, de toute façon, le bonheur immense qu'elle éprouvait à le revoir.

— Je n'arrêtais pas de penser à toi, avoua-t-elle.

— Pareil pour moi.

— Alors je me suis dit que voir quelqu'un d'autre… que cela pourrait m'aider.

Les doigts de Garrett glissaient sur sa nuque, dans une caresse douce mais indéniablement possessive.

— Et tu as pris un rendez-vous ?

— Non. Je me suis défilée.

Elle avait finalement trouvé injuste aussi d'accepter de sortir avec un homme dans l'unique but d'en oublier un autre. D'autant que, tout bien réfléchi, cela avait quand même très peu de chances de marcher.

— Tant mieux, affirma-t-il en la dévorant du regard.

Seigneur, ces yeux ! Son corps tout entier vibrait en réaction à sa proximité physique. Qu'allaient-ils faire maintenant ?

— J'ai une idée, reprit-il.

Nicole hocha la tête. Elle aussi commençait à avoir une idée qui lui trottait dans la tête.

Une nuit. Celle qui n'aurait jamais dû rester inachevée. Pour enfin assouvir leur désir. Ensuite ils s'arrangeraient pour ne plus se croiser et cela n'aurait pas d'incidence sur son amitié avec Maeva.

— Ça me plaît, souffla-t-elle.

— Tu ne veux pas savoir de quoi il s'agit avant de dire oui ?

Elle renversa la tête en arrière pour presser la main qui enserrait toujours sa nuque. Le regard flamboyant de Garrett lui disait qu'ils étaient sur la même longueur d'ondes. Une nuit, oui, c'est tout ce qu'elle demandait.

Déjà ses mains s'égaraient sur son torse…

— Dis-moi, alors, fit-elle, le souffle déjà court.

— Il faut tenter le plan de Maeva.

— Comment ?

— Tu as dit que tu ne savais pas prendre une relation avec désinvolture et légèreté. Moi, c'est l'inverse. Faisons chacun un pas l'un vers l'autre. Trouvons une solution intermédiaire qui mettra chacun à l'aise. Soyons bien ensemble, mais sans penser à l'avenir. Nous pourrions, pendant un moment, être amis *et* amants. Il faudrait se surveiller pour ne pas laisser les choses aller trop loin et juste… apprendre à passer du temps ensemble.

Nicole laissa échapper un lourd soupir. Pas une seule nuit : des semaines. Des mois, peut-être…

— Garrett, je ne pense pas que tu sois la personne adéquate pour ce genre d'exercice. Nous avons des attaches. Les complications éventuelles auraient fatalement des répercussions.

— Je suis le type idéal, au contraire. Les attaches dont tu parles, c'est Maeva. Si nous rompons, toi et moi, elle s'en remettra. C'est une grande fille et elle est ta meilleure amie. Fie-toi un peu à elle.

Nicole ouvrit la bouche sous le coup de la stupeur. C'est *lui* qui lui conseillait de faire confiance à Maeva ?

— Tu plaisantes, là ?

— Pas du tout. Et pour souligner mon propos, je vais te donner ta première leçon de légèreté.

Son pouce lui caressa la lèvre inférieure, déclenchant de petits frissons incoercibles qui lui brouillaient l'esprit.

— Facile à dire pour « l'homme qui murmurait à l'oreille des filles »…

— Facile à faire si nous sommes synchrones. Et tu es la fille idéale pour moi, Nicole. Parce que cette fois, je n'ai pas envie d'une relation superficielle. Evidemment, il n'est pas question pour moi d'hypothéquer l'avenir, mais tu es justement la seule à qui je fais confiance pour ne pas essayer de changer les règles du jeu et de me forcer la main ensuite. Tu ne vois donc pas que nous sommes parfaits l'un pour l'autre ?

Elle avait envie de le croire. Elle aussi aspirait à cette légèreté bienheureuse. Mais parfois, les choses dérapaient sans qu'on le veuille et, même avec les meilleures intentions du monde, quelqu'un finissait par souffrir.

Elle se rendit compte qu'elle avait peur.

— Fais-moi confiance, Nikki, lui chuchota Garrett.

Il lui demandait de lui faire confiance, de faire confiance

à Maeva, d'avoir confiance en elle-même. Cela faisait beaucoup. En était-elle capable ?

Toutefois, il fallait bien qu'elle apprenne si elle voulait reprendre en main les rênes de sa vie. Et cet homme la comprenait si bien.

— Fais-moi confiance, je vais prendre soin de toi, ajouta-t-il dans un doux murmure.

Elle lisait de telles promesses dans ses yeux… Elle entrouvrit les lèvres, sans savoir si c'était pour protester ou prononcer son prénom. Déjà la bouche de Garrett capturait la sienne.

Elle était perdue…

Il avança tout en l'enlaçant et referma la porte d'un coup de pied impatient. Puis il la souleva dix centimètres au-dessus du sol pour la plaquer sur son large torse, avec sa crinière de boucles qui lui tombait dans les yeux.

Leurs bouches toujours soudées, il traversa le séjour en direction de la chambre. Elle se retrouva dos au mur, tandis qu'il glissait les mains sous sa robe pour la maintenir, positionner ses jambes autour de ses hanches et presser son érection contre sa féminité qui pulsait de désir.

— Oh ! Garrett… oui !

— J'ai tellement envie de toi, ma belle.

— Je ne peux plus attendre, moi non plus.

Nicole se remit debout, s'attaqua de ses mains fébriles à la ceinture de Garrett, la déboucla. Puis, empoignant la courroie de métal, elle le tira vers le lit. Face à lui, elle retroussa elle-même l'ourlet de sa robe d'été et la fit passer par-dessus sa tête d'un geste vif.

Dessous, elle portait seulement une culotte de coton rose.

Garrett se débattait avec sa chemise. Il se figea un instant en la voyant glisser ses doigts sous l'élastique et faire descendre le triangle de tissu sur ses cuisses. Puis il s'énerva et quelques boutons volèrent. Dès son jean et son boxer enlevés, il la fit basculer sur le lit.

Leurs regards se nouèrent au moment où l'extrémité de son phallus se plaçait à l'orée de son sexe. Nicole retint son souffle.

Lentement, il entra en elle, s'immobilisa et attendit quelques secondes, le temps qu'elle s'adapte à la pénétration, au prix d'un violent effort de volonté inscrit sur ses traits crispés.

Nicole émit un son inarticulé. Cela valait la peine d'avoir attendu si longtemps ! Elle aurait voulu rester ainsi une éternité, le sentir profondément ancré en elle et écouter les battements furieux de son cœur. Mais la passion eut raison d'eux. Elle arqua les hanches et Garrett plongea au plus profond d'un puissant coup de reins, lui arrachant un gémissement rauque. Leurs rythmes s'accordèrent comme par magie et, très vite, c'est dans un même cri qu'ils basculèrent dans la jouissance.

Nicole s'effondra sur le lit, les membres en coton, l'esprit en proie au chaos.

Les heures qui venaient de s'écouler avaient été incroyables. Epuisantes, aussi. Pourtant, leur souvenir suffisait à réveiller la flamme du désir au creux de ses reins.

Tournant la tête, elle étudia Garrett, qui était retombé sur le dos et fixait le plafond, à bout de souffle. A sa décharge, il n'avait pas ménagé sa peine. Ni la première fois. Ni la seconde. Ni la troisième.

— J'aimerais… tenter quelque chose de nouveau, déclara-t-il d'une voix hachée. Un truc fou que je n'ai jamais fait de ma vie.

Nicole l'enveloppa d'un regard perplexe. Tenaillés par la faim dévorante qu'ils avaient l'un de l'autre, ils avaient déjà exploré une multitude de possibilités plus excitantes les unes que les autres.

— Je ne dis pas non, mais j'aimerais d'abord savoir ce que tu as en tête, dit-elle en souriant.

— Je ne voudrais pas te mettre mal à l'aise, aussi n'hésite pas à me dire si tu trouves que c'est trop rapide, que j'exagère.

Vaguement inquiète, elle passa mentalement en revue les pratiques sexuelles dont elle avait entendu parler et fronça les sourcils.

— Dis toujours.

Il se tourna, approcha son visage du sien et chuchota :

— J'aimerais passer la nuit ici et dormir avec toi.

Elle éclata de rire avant de lui donner un petit coup de poing sur l'épaule.

— Tu es vraiment une fripouille !

— Tu le savais déjà, non ?

Reprenant son sérieux, elle demanda :

— C'est vrai, tu n'as jamais dormi chez une fille ?

— Jamais.

Une émotion langoureuse réchauffa la poitrine de Nicole. Cela n'empiétait pas sur le contrat qu'ils avaient passé, argumenta-t-elle *in petto*. Non, elle gardait le contrôle. Tout allait bien.

A son tour elle se pencha et murmura, sa bouche à quelques millimètres de la sienne :

— Ne t'inquiète pas. Si c'est ta première fois, je te promets d'être très gentille.

9.

Garrett s'appuya de la hanche contre le plan de travail. L'odeur corsée du café flottait dans la cuisine. Il s'était réveillé à 5 heures, comme d'habitude, pour s'apercevoir que ce matin-là, *rien* n'était comme d'habitude. Il n'était pas chez lui, mais toujours dans le lit de la délicieuse Nicole, ses bras et ses jambes refermés sur elle.

Et c'était si bon !

Trop bon sans doute, car son sexe s'était aussitôt durci contre le renflement de ses fesses, malgré une nuit pourtant agitée.

Il avait imaginé de multiples scénarios coquins pour le petit matin, comme la lécher partout avant même qu'elle soit réveillée. Mais ils s'étaient endormis à l'aube et, même si lui-même se sentait plutôt en forme, Nicole avait sans doute besoin d'un peu de repos. Pas question qu'elle s'endorme au volant en allant travailler ! Alors il s'était résolu à sortir du lit.

Il déambula dans la cuisine, le temps que la cafetière se remplisse, tout en dressant une liste mentale des petites réparations à effectuer dans la pièce. La charnière du placard. La glissière du tiroir à couverts. Et il aurait parié qu'elle ne serait pas mécontente de changer son plan de travail en carrelage contre une plaque de granite…

Il secoua la tête. Qu'est-ce qu'il fabriquait ? Pourquoi s'appropriait-il la casquette de chef de chantier ? Nicole ne lui avait rien demandé.

— Bonjour.

Elle se tenait sur le seuil, enveloppée d'un fin peignoir qui, à première vue, semblait plus affriolant que chaud.

— Bonjour. J'ai lancé un café. Ça ne te dérange pas ?

Elle sourit et désigna le bas du mur :

— Moins que ce bout de parquet que tu as découpé.

— Oh ! ça… C'est juste la plinthe. Elle se décollait, j'ai voulu aller voir derrière. Je suis assez bricoleur, ne t'inquiète pas. Et je n'ai pas touché au parquet.

Hochant sa tête rousse, elle s'avança d'un pas traînant. Puis elle se laissa tomber sur une chaise en étouffant un bâillement adorable.

— Tout ce que je te demande, c'est de finir les travaux que tu commenceras. En général, les hommes sont champions pour démarrer un chantier et vous laisser en plan au milieu.

Garrett sourit. Il n'allait certainement pas se mettre à réparer tout ce qui lui tombait sous la main. Il en avait justement assez d'être le gars qui s'occupe de tout. Il recollerait la plinthe, parce que maintenant qu'il avait vu ce truc, il n'en dormirait plus. Mais c'était tout, il se le promit.

Il s'en alla récupérer la cafetière et deux tasses.

— Lait ? Sucre ?

— Chantilly !

Comme il lui jetait un regard perplexe, elle secoua la tête en souriant et s'empara de la tasse qu'il lui tendait.

— Non, rien, ne fais pas attention. Je vais le préparer moi-même : je suis un peu compliquée en ce qui concerne le café.

— Bon, comme tu voudras.

Il la regarda s'activer dans sa routine matinale, ajouter un trait de lait écrémé dans sa tasse, avant d'y laisser tomber une petite cuillère. Peu d'hommes avaient eu le privilège d'assister à ce spectacle, songea-t-il, envahi d'une bouffée de satisfaction possessive.

— Alors, tes impressions ? Ça t'a plu ? s'enquit-elle avec un petit rire.

Il comprit aussitôt de quoi elle parlait.

— Oui, beaucoup.

— C'est vraiment la première fois que tu passes la nuit chez une fille ? J'ai du mal à le croire.

— Souvent cela apparaît comme une complication qui n'est pas vraiment indispensable, alors…

Il prit leurs deux tasses pour les emporter sur la table placée devant la baie vitrée. Ils s'installèrent face à face. Nikki le considérait toujours d'un air curieux, aussi poursuivit-il :

— Au début, je ne pouvais tout simplement pas. Je vivais avec mes sœurs. Je n'ai pas été à la fac à dix-huit ans, je ne pouvais donc pas faire entrer une copine en cachette à la cité universitaire.

— Mais Bethany a un an de plus que toi, et à l'époque tu avais encore ta mère, non ? Tu aurais quand même pu t'échapper de temps en temps. Et puis tes copines pouvaient toujours te faire entrer en cachette dans *leur* chambre.

Garrett lâcha un petit rire. Ce n'étaient pas les candidates qui avaient manqué, en effet.

— C'était un peu le chaos. La situation à la maison était assez précaire, pour de multiples raisons. Mes parents n'étaient pas prévoyants. A la mort de mon père, le montant de l'assurance-décès nous a permis de tenir les deux premières années, mais ma mère ne travaillait pas et je voulais assurer l'avenir de mes sœurs. Bethany était très douée à l'école, bien plus que moi. Elle était assurée d'aller à l'université pour peu que l'on puisse financer ses études. Il a donc fallu faire des choix. Elle a brillamment réussi mais du coup, elle a dû quitter la maison.

Lui-même avait abandonné le lycée en première pour travailler à temps plein. Tout le monde donnait un coup de main au niveau de l'intendance, mais payer les factures et entretenir la maison, tout cela lui incombait exclusivement.

— Ma mère a toujours été fragile, reprit-il. Je ne sais pas comment elle a réussi à avoir cinq enfants. Même avant la mort de papa, nous avions l'habitude de participer aux tâches ménagères et au reste. En réalité, elle n'a pas supporté de le perdre.

— Cela a dû être très dur…

Il hocha la tête, ferma les yeux quelques secondes et revit son père, simple ouvrier, qui embrassait ses enfants le matin à la table du petit déjeuner avant de partir travailler sur ses chantiers. Un homme qui n'avait pas reçu une éducation très poussée, qui aimait les plats simples et roboratifs et qui adorait sa famille. « En mon absence, c'est toi l'homme de la maison, Garrett, lui disait-il en lui assenant une claque sur l'épaule. Fais en sorte que je sois fier de toi ! »

Garrett acquiesçait avec solennité face à ce père qu'il vénérait, et il en avait été ainsi chaque matin, jusqu'au jour de l'accident.

— Ma mère a sombré dans la dépression sans que nous ne puissions rien faire. Nous nous sommes adaptés. S'il y avait un problème au beau milieu de la nuit, c'est moi que les filles venaient trouver, pas elle. Face à la maladie de maman, nous étions démunis. Nous aurions dû demander de l'aide beaucoup plus tôt, mais nous n'avions pas compris. Il a fallu qu'elle soit internée pour que nous ouvrions enfin les yeux. Mais cela n'a pas suffi et…

Il laissa sa phrase en suspens, le regard voilé.

— Mon Dieu, Garrett, je suis désolée, murmura Nicole. Je ne savais pas que votre mère s'était… Maeva n'en parle pas beaucoup.

— Cela n'a rien d'étonnant. Elle n'était qu'une gamine à l'époque. C'était dur de tout perdre en même temps, mais nous nous en sommes sortis. Bref, tu comprends pourquoi je n'aimais pas trop l'idée de laisser mes sœurs seules à la maison pendant toute une nuit.

Nicole plissa le front.

— Oui, mais du coup, je ne comprends pas comment tu as pu gagner cette réputation de cavaleur.

Il éclata de rire.

— Parce que je cavalais ! J'avais dix-huit ans et je débordais d'hormones. Je n'avais pas beaucoup de temps à consacrer aux filles, mais j'avais quand même quelques moments de répit, surtout grâce à la sœur de Jesse, qui acceptait de garder mes sœurs une ou deux fois par mois. Ces aventures ne duraient pas.

— Mais ensuite ? Quand tes sœurs ont grandi et gagné leur indépendance ?

— J'avais pris la direction de l'entreprise où mon père avait travaillé toute sa vie et je m'efforçais en parallèle de décrocher mon diplôme. C'était la course et quand je tombais dans le lit d'une fille, je ne voulais pas qu'elle commence à se faire des idées. Je n'avais pas le temps de m'investir, c'était purement… physique.

Jusqu'au jour où il avait fait la connaissance de Nicole Daniels.

Avec elle, tout était différent. Et pas seulement parce qu'il avait du temps désormais, et qu'elle le connaissait déjà mieux que toutes les autres filles avec lesquelles il était sorti. Ils se parlaient en toute franchise. Ils prenaient plaisir à être juste ensemble, et il y trouvait une liberté délicieuse.

Sauf qu'il n'était jamais vraiment *sorti* avec elle, se dit-il soudain. En tout cas pas de manière officielle.

— Qu'est-ce que c'est que ce sourire ? s'enquit-elle, les deux mains réunies autour de sa tasse de café.

— Rien. Je réfléchissais juste à l'endroit où je vais t'emmener pour notre premier rendez-vous.

— Un minigolf ? Tu plaisantes ?

En riant, Nicole leva les yeux sur le panneau qui se dressait devant eux et représentait de manière très approximative la silhouette d'un château de conte de fées.

— Pas du tout, rétorqua Garrett. C'est notre premier rendez-vous officiel, aussi je te prie de ne pas te moquer. Jouer au minigolf a toujours été sur ma liste.

— Quelle liste ?

— La liste des choses qu'on doit absolument faire avant de mourir, répondit-il en l'entraînant à travers le parking en direction de l'entrée. C'est un de mes fantasmes d'adolescent que je n'ai jamais pu réaliser. Mais si cela t'ennuie, j'ai quelques astuces pour pimenter l'affaire.

— Comme ?

— Mettre un enjeu à la partie.

— Tu veux dire… parier ?

— Oui. A nous d'être inventifs. Et puisque je n'ai jamais joué, tu as de bonnes chances de gagner.

Par Maeva, Nicole savait que son frère avait un féroce esprit de compétition et que, la plupart du temps, il se débrouillait pour réussir haut la main tout ce qu'il entreprenait. Ce qui signifiait sans doute qu'en dépit de son inexpérience, il ne lui laisserait pas une chance.

— Quel genre d'enjeu ? demanda-t-elle avec méfiance.

Il ne répondit pas, mais la petite flamme qui s'était allumée dans son regard suffit à l'emplir d'une excitation fébrile. Elle aimait cette pulsion vitale qui animait Garrett et l'avait incité à abandonner le labeur de simple manœuvre pour s'attaquer à la gestion d'une entreprise. Elle aimait son goût pour l'aventure, son aptitude à corser le quotidien. Et aussi…

Nom d'un chien ! N'était-elle pas en train de s'apercevoir qu'elle aimait tout chez lui ?

Cette façon de sans cesse la surprendre, ses remarques

pleines de profondeur, ses envies coquines… Il y avait tellement plus en lui qu'elle ne l'avait supposé au départ ! A tel point que, souvent, une sonnette d'alarme retentissait dans sa tête. Mais alors elle voyait son regard serein, percevait son assurance et se rappelait qu'ils avaient le même but, le même état d'esprit. Elle se sentait rassurée et s'abandonnait au simple plaisir de sa compagnie.

En confiance.

Enfin, ça, c'était *avant* la partie de minigolf…

— Tu m'as dit que tu ne savais pas jouer ! s'insurgea-t-elle tandis qu'ils traversaient le parking en direction de la voiture.

Il l'avait tout bonnement roulée dans la farine.

— C'est la vérité. Ce n'est pas ma faute si je vise plutôt bien et si j'ai le sens de l'équilibre. Surtout quand il y a une récompense à la clé.

Il ouvrit la portière et l'aida à s'asseoir, prévenant comme à son habitude, c'est-à-dire une main placée derrière sa tête pour éviter qu'elle se cogne.

— Et la banquette arrière de la voiture, c'est sur ta liste aussi ?

— Non. Mais trousser une sainte-nitouche, oui !

— Tu sais très bien que je suis consentante !

— Ne discute pas. J'ai gagné, tu as perdu, tu dois protéger ta vertu. Ou du moins faire semblant de la manière la plus réaliste possible.

Comme il l'embrassait dans le cou, elle se réfugia à l'autre bout du siège, déjà frémissante et le corps en feu, comme chaque fois qu'il la regardait de cette manière.

Il voulait jouer ? Ils allaient jouer !

— Franchement, Garrett, vu comment tu t'es montré hypocrite avant cette partie de minigolf, je ne suis pas sûre de vouloir te revoir.

— C'était le hasard, ma belle. J'aurais très bien pu perdre.

— Menteur ! Tu savais très bien ce que tu faisais.

— C'est de la pure diffamation.

— Ne me touche pas !

— Je veux juste te parler.

— Aaaaah ! cria-t-elle en s'étouffant de rire sous ses baisers.

10.

En rejoignant Maeva, Bethany et Erin pour leur dîner habituel entre filles, Nicole s'était préparée aux questions de ses amies puisque à présent, elle sortait officiellement avec leur frère depuis maintenant trois semaines.

Maeva l'avait déjà bien cuisinée sur le sujet, mais apparemment elle avait encore des milliards de questions en réserve. Cela en devenait risible. Sauf qu'en dépit de l'ambiance joyeuse, Nicole décelait une lueur très sérieuse dans les trois paires d'yeux braquées sur elle. La soirée virait carrément à l'interrogatoire.

— Il paraît même que vous avez été appréhendés par la police ? s'exclama Bethany.

Nicole jeta un regard noir à Maeva.

— On ne s'est tout de même pas fait embarquer. Maeva, tu avais promis…

— Je n'ai rien dit ! protesta son amie. Mais tu n'as pas exigé la même discrétion de l'officier Klinsky, qui se trouve être un ancien camarade de classe de Carla et qui, en sortant du vidéoclub hier soir, a croisé une de leurs amies communes. Que veux-tu que j'y fasse si les histoires croustillantes sont les plus rapides à circuler ?

— Merci quand même de me confirmer cette anecdote, que j'avais du mal à croire ! ajouta Bethany, qui pouffa derrière son verre de vin.

Erin se tordait la bouche pour garder son sérieux. Ses efforts louables ne trompaient personne.

— Vas-y Erin, lança Nicole. Crache ta pastille, je vois bien que tu en meurs d'envie.

Un éclat de rire choral typique des sœurs Carter salua cette remarque. Erin échangea des regards complices avec ses sœurs avant de s'exclamer :

— Vous imaginez les cartons d'invitation ? Avec des barreaux en relief et une paire de menottes pour relier leurs deux noms !

Nouvelle explosion de rires. Mais soudain, Nicole perdit tout sens de l'humour. Des cartons d'invitation. A un *mariage*… Une pensée qu'elle passait son temps à refouler ces derniers temps.

Elle n'eut pas le temps de ruminer plus avant : une large main se posa sur son épaule et un autre Carter se joignit à la tablée.

— Je me disais bien que je connaissais ces glousse-ments niais !

Un concert d'exclamations ravies salua l'arrivée de Garrett, qui contourna la table pour embrasser chacune de ses sœurs sur la joue. Nicole lui jeta un regard incer-tain : avait-il entendu la boutade d'Erin ?

Son cœur se serra. Tout allait si bien entre eux. Leur relation restait sagement encadrée derrière les limites qu'ils avaient définies, il ne faudrait pas que la moindre anicroche vienne la faire dérailler. Mais cela semblait bien mal parti ce soir…

Si elle l'avait osé, elle l'aurait attrapé par la main pour l'entraîner le plus loin possible.

— Tu viens ruiner notre soirée entre filles ? s'enquit Bethany, sur un ton de reproche démenti par son large sourire.

— Je reviens d'un rendez-vous en ville. Je m'apprêtais à prendre un taxi quand je vous ai aperçues à travers la vitre. Ne vous inquiétez pas, je ne vais pas m'incruster. Je passais juste faire un petit coucou.

Une clameur de protestation s'éleva et les filles se

décalèrent d'emblée autour de la table ronde. Avec une réticence amusée, Garrett finit par s'asseoir à côté de Nicole.

Il ne fallut pas plus de trois minutes pour que la conversation revienne sur cette fameuse nuit, deux semaines plus tôt, qui les avait vus endurer un sermon sur la façon dont se tenaient les gens bien élevés dans un parking public.

Comme Garrett jetait un regard interrogateur à Nicole, celle-ci soupira :

— Le flic qui nous a coincés connaît Carla.

Bien entendu, Erin s'empressa de répéter sa fine plaisanterie. Mais, à la grande surprise de Nicole, Garrett, loin de se crisper, rit de bon cœur. Il apporta même sa contribution aux suggestions les plus farfelues qui fusaient : des robes à rayures noires et blanches pour les demoiselles d'honneur ; un smoking orange pour le marié, avec un numéro d'écrou dans le dos ; un bracelet de cheville électronique pour la promise…

Puis ils changèrent de sujet et se mirent à discuter du prochain voyage de Bethany à Disneyland et des projets professionnels de Maeva.

Nicole commença à respirer plus librement. Elle avait vraiment eu peur que ces allusions braquent Garrett, instaurent entre eux un vrai malaise qui signerait le début de la fin pour leur relation. Mais il continuait de jouer avec sa main et de bavarder comme si de rien n'était.

Il était décidément maître dans l'art de prendre les choses avec légèreté ; et il venait de lui donner une bonne leçon, reconnut-elle.

Enfin détendue, elle se laissa aller contre le dossier de son siège et se décida à profiter pleinement de la soirée.

*
* *

Garrett savait que le mot « mariage » suffisait à paniquer Nicole et lui mettre l'esprit en ébullition. Il n'avait pas voulu en rajouter et s'était appliqué à paraître le plus naturel possible. Ce qui n'avait pas été très difficile, car il s'amusait franchement à écouter les petits délires de ses sœurs. Cela lui rappelait l'époque où ils habitaient tous sous le même toit et échangeaient ainsi en toute liberté autour de la table familiale.

Ce soir, c'était encore mieux car aux rires de ses sœurs se mêlait celui de Nicole.

Néanmoins il savait qu'une petite mise au point s'imposait. Il attendit que la bande se soit séparée, avec force effusions, et que Nicole et lui se soient éloignés du restaurant en direction de la station de taxis.

— Ces allusions à un mariage t'ont mise plutôt mal à l'aise, tout à l'heure, non ?

L'expression de soulagement qui s'inscrivit sur le visage de Nicole lui indiqua qu'elle brûlait d'aborder le sujet.

— Oui ! C'était bizarre. Tu n'as pas été gêné, toi ?

Cela aurait pu, s'il n'avait eu la certitude qu'il n'y avait pas de malentendu entre eux.

— Bah, ce n'est pas grave. Tu sais, j'ai l'habitude d'entendre mes sœurs jacasser. Et les choses sont claires entre nous. Mais je n'ai jamais été fiancé, contrairement à toi. C'est normal que tu sois un peu chatouilleuse sur le sujet.

Garrett perçut le raidissement de ses épaules et comprit qu'il avait touché la corde sensible.

— Tu n'es pas obligée de m'en parler, mais j'aimerais savoir ce qui s'est passé.

Ils continuèrent de marcher une centaine de mètres avant qu'elle ne se décide finalement à répondre :

— Avec Paul, j'étais très jeune et très bête. Nous étions amis depuis le collège, nous avons commencé à sortir ensemble à quinze ans. C'était le garçon le plus gentil que je connaissais, cela m'a paru… naturel. Les autres filles étaient des cœurs d'artichaut, mais moi je n'avais pas envie de tomber amoureuse tous les trois jours. J'aimais le côté stable de notre relation, en dépit de notre jeunesse.

Il hocha la tête. Nombre d'amours adolescentes démarraient ainsi. La différence, c'est que cette histoire avait duré parce que Nicole, apparemment, ne faisait rien comme la majorité des gens. Et elle s'en était mordu les doigts.

— Au bout de trois ans, nous avons été dans la même université, poursuivit-elle. Les gens trouvaient notre petit couple très romantique et nous demandaient quand nous comptions nous marier. Je crois que nous nous sommes habitués à cette idée sans trop y réfléchir. C'était dans l'ordre des choses. Nous nous aimions, alors pourquoi pas ?

— Mais vous n'aviez que dix-huit ans ! Et vos parents respectifs, qu'en pensaient-ils ?

— Ils étaient très contents. La mère de Paul me considérait comme sa fille. Quant à ma mère… comment dire ? Ses priorités sont un peu décalées par rapport à celles du quidam moyen. Elle m'a eue à dix-sept ans. Au lieu de l'épouser, mon père a pris la poudre d'escampette, en se contentant d'envoyer un chèque de temps en temps pour faire semblant d'assumer ses responsabilités. Alors la perspective de me voir épouser un garçon qu'elle connaissait depuis toujours lui semblait excellente.

— Mais finalement, ça n'a pas marché ?

— Paul a repris ses esprits six mois avant la date fatidique. Il s'en est beaucoup voulu, s'est confondu en excuses. Il voyait tous ses amis se lancer dans la vie pour tenter de réaliser leurs rêves, découvrir leur vraie personnalité… Il n'a pas voulu rater cette étape primordiale et, au fond, je savais qu'il avait raison. Alors nous avons annulé le mariage. Et chacun est parti de son côté, conclut-elle, sans amertume perceptible.

— Ensuite, tu as rencontré quelqu'un d'autre.

A la façon dont ses traits se crispèrent, Garrett sut immédiatement qu'il n'avait aucune envie de croiser ce « quelqu'un ». Il n'était pas du genre violent, mais la douleur qui se lisait sur le visage de Nicole lui donnait des envies de meurtre.

— Joel avait quelques années de plus que moi, expliqua-t-elle après un long soupir. Il m'est apparu comme très sûr de lui, et j'ai trouvé cela infiniment séduisant.

— Tu recherchais la sécurité.

— J'avais eu le temps de panser mes blessures, j'étais prête pour une nouvelle aventure qui me semblait excitante, pleine de promesses. Ma mère a hurlé de joie en apprenant que je sortais de nouveau avec quelqu'un. Avec le recul, je comprends que j'avais trop peu d'expérience pour discerner les illusions d'avec la réalité. Je n'avais sans doute pas très envie de faire le distinguo, trop occupée que j'étais à vouloir bâtir à toute force la famille que je n'avais pas eue enfant. Bref, cela a tout de suite été trop vite, trop loin.

La colère de Garrett enflait à mesure que Nicole s'efforçait de lui expliquer ce qui avait été de travers dans cette relation. Les faits et paroles qu'elle avait mal interprétés ; les reproches sans gravité qu'elle avait pris trop à cœur. Grosso modo, elle s'avouait responsable de ce second fiasco. Mais plus elle parlait de ce Joel de malheur, plus Garrett voyait se dessiner le portrait d'un égocentrique qui l'avait menée en bateau de bout en bout.

— Il t'a demandée en mariage au bout de deux ans. En quoi est-ce ta faute ?

Nicole était toute pâle à la lumière des lampadaires. Elle détourna la tête et il eut soudain pitié d'elle.

— Il a dit que j'étais dangereuse comme les sables mouvants, qu'il s'était rendu compte qu'il s'enlisait alors qu'il était presque trop tard.

Garrett serra les dents. Il ne chercherait pas l'adresse

de ce type pour aller lui dire sa façon de penser, mais bon sang, quel mufle !

— Je pensais que nous voulions les mêmes choses, reprit-elle d'une voix presque inaudible. Mais je me trompais.

Il s'arrêta et la prit par les épaules.

— C'est normal de désirer certaines choses en amour, Nikki. Tu t'es juste trompée sur le choix du partenaire. Depuis, tu as changé, mûri, tu ne reproduiras plus les mêmes erreurs. Il ne faut pas avoir peur de te brûler une troisième fois. Quand tu rencontreras celui qui te mérite, tu ne seras plus inexpérimentée et naïve, tu seras prête et lui aussi.

Et peut-être serait-il invité au mariage, après tout… Car même quand leur histoire serait finie, Garrett ne pouvait imaginer ne pas rester proche d'elle. Pour le moment, il était assoiffé de sa présence, de son corps, mais il savait bien que le désir finirait par s'éteindre, inéluctablement.

Un jour, un autre homme viendrait et verrait en Nicole la femme de ses rêves, celle qui lui était destinée. Mais pour l'heure, elle lui appartenait. Et il comptait bien profiter de chaque minute passée auprès d'elle.

Il se pencha pour poser sa bouche dans son cou et, avec un soupir, elle se laissa aller contre lui. Ses mains glissèrent jusqu'à ses hanches et il la sentit frissonner. Elle était si réceptive à ses caresses !

— En attendant, j'ai une idée mirifique, fit-il dans un chuchotis.

— Si c'est sur ta liste de choses à faire avant de mourir, tu ne peux pas t'arrêter là ! protesta Nicole en riant.

A la grande satisfaction de Garrett, elle semblait avoir oublié les deux hommes qui avaient saccagé sa vie à tour de rôle.

— Mais si, je peux, objecta-t-il en levant la main pour héler un taxi. Et je peux aussi te dire qu'il s'agit d'un week-end à Crush, dans la Napa Valley. D'ici quelques semaines. Je veux absolument t'emmener là-bas.

Ils visiteraient les vignobles, rentreraient pompettes un soir ou deux et s'amuseraient comme des petits fous. Mais Nicole ne semblait pas emballée par sa proposition.

— Crois-moi, tu ne le regretteras pas, insista-t-il.

— Oh ! je te crois. Le problème n'est pas là. C'est juste que…

— Quoi ? Un petit week-end tout en légèreté, entre adultes consentants, tu ne peux pas refuser ça. Dis oui, s'il te plaît !

— Bon, je vais y réfléchir, concéda-t-elle au moment où le taxi s'immobilisait à leur hauteur. Ça te va comme réponse ?

— Parfait !

Pour le moment. Mais Garrett se dit qu'il avait tout le temps de la convaincre…

Nicole jeta un coup d'œil au réveil et retint un soupir d'agacement. 3 heures du matin et elle n'arrivait toujours pas à dormir ; non pas à cause du café qu'elle avait pris au restaurant, mais à cause des pensées qui tournoyaient dans sa tête.

Garrett avait dit que les choses étaient claires entre eux, et elle n'aurait peut-être pas eu tant de doutes s'ils n'avaient parlé de Paul et de Joel ce soir. Or, elle ne voulait pas déraper. Elle ne voulait pas être celle qui tomberait ! Celle qui aimerait plus que l'autre. Elle voulait que les choses continuent exactement comme maintenant. Mais pour cela, elle devait se prémunir contre des sentiments trop intenses, rester au bord du précipice qui s'ouvrait devant elle…

Pour toutes ces raisons, elle ne voulait pas partir en week-end avec Garrett.

Pour l'instant, ils se contentaient de sortir avec des amis, d'être inventifs sous la couette, de parler des heures entières sur le canapé, dans une relation intime, confortable, excitante. Mais ce week-end à Crush, c'était l'étape au-dessus. Tous deux s'intéressaient au vin et ce séjour serait aussi passionnant que passionné, follement romantique. Ils pourraient louer des vélos ou prendre le train qui remontait la vallée ; faire la grasse matinée, faire l'amour bien sûr.

Garrett comprenait ses peurs, mais il avait beau lui dire qu'il serait là pour les garder tous les deux dans le droit chemin, qu'elle pouvait compter sur lui, une appréhension grandissante la gagnait.

Car si elle lui faisait bel et bien confiance, elle commençait sérieusement à douter d'elle-même.

Garrett balança son avant-bras sur ses yeux avec un grommellement de contrariété. Ce n'était quand même pas l'absence de Nicole qui l'empêchait de dormir ! Ils passaient trois ou quatre nuits ensemble par semaine, peut-être même cinq. Et il aimait ça. Mais hier soir, il avait bien vu la panique dans son regard, quand il avait évoqué ce week-end à Crush. Il avait compris qu'il lui fallait un peu de temps pour s'habituer à cette idée, accepter la perspective qu'ils puissent profiter de ce genre d'escapade sans pour autant entendre retentir la marche nuptiale.

Il l'avait donc laissée à ses réflexions mais maintenant, il ne trouvait plus le sommeil.

Il poussa un profond soupir et rejeta les couvertures. Il renonçait à s'endormir. Le réveil indiquait 4 h 45. Après des années d'études et de travail conjugués, il avait l'habitude des nuits blanches. Mais cette frustration qui grandissait en lui, il ne savait pas comment la gérer.

Vingt-cinq minutes plus tard, il se trouvait devant la porte de l'appartement de Nicole, un plateau avec deux espressos dans une main, un paquet de viennoiseries dans l'autre.

En équilibre sur un pied, il tapa de l'autre contre le battant. Pas trop fort. Si elle ne se réveillait pas, il s'en irait et continuerait sa journée, comme il l'avait fait tant de fois sans elle.

Nicole s'assit brusquement sur le lit. Quelqu'un venait de cogner à la porte ! Or, une seule personne au monde aurait pu faire cela à 5 h 30 du matin : Maeva ! Et Nicole n'avait jamais eu plus besoin de sa meilleure amie qu'en ce moment. Elle la recadrerait, la rassurerait, lui rappellerait qu'il n'y avait que quarante-huit petites heures dans un week-end, que ni Garrett ni elle ne cherchaient une relation sérieuse ; et tout cela à la manière de Maeva, c'est-à-dire en trouvant toujours le moyen de la faire pleurer de rire !

Elle ouvrit la porte en s'exclamant :

— Tu sais que je t'aime, toi !

Puis elle demeura coite, la bouche arrondie de stupeur, face à Garrett qui, debout sur le seuil, la considérait avec un amusement mêlé d'une certaine inquiétude.

— Tu attendais quelqu'un d'autre ?

Nicole plaqua la main sur sa bouche en secouant la tête, puis hoqueta :

— Oui. Euh… non ! Que fais-tu là ?

— Ça ne se voit pas ? Je t'apporte le petit déjeuner.

11.

Son téléphone à la main, Garrett quitta le chantier sur lequel retentissaient le hurlement des scies électriques et les coups de marteau. Rejoignant les locaux, il tâcha de trouver un endroit un peu calme puis rappela sa sœur.

— Là, je t'entends mieux, Bethany. Tout va bien chez toi ?

Après un bref échange de nouvelles, sa sœur lui expliqua qu'elle avait besoin de quelqu'un au débotté pour garder ses enfants le soir même.

— Pas de problème, répondit aussitôt Garrett. J'avais prévu de passer la soirée avec Nicole, mais je suis sûr qu'elle ne verra pas d'objection à venir chez toi.

Il y eut un court silence, puis Bethany demanda d'une voix hésitante :

— Parce que tu… vous avez l'intention de venir tous les deux ?

— Cela te contrarie ?

Garrett fronça les sourcils. Avant qu'ils sortent ensemble, il était déjà arrivé que Nicole fasse un peu de baby-sitting pour Bethany, avec ou sans Maeva. Les petits neveux de Garrett la connaissaient très bien.

— Non, non…, bredouilla sa sœur. C'est juste que…

Elle ne termina pas sa phrase ; Garrett comprit alors que ce n'étaient pas les enfants qui posaient problème.

— Tu sais bien que si tu me confies les enfants, je

les surveillerai correctement, même si ma petite amie est dans les parages ! protesta-t-il, vaguement ulcéré.

Le rire spontané de sa sœur le soulagea.

— Oh oui ! Je ne sous-entendais pas que tu les laisserais livrés à eux-mêmes pour mieux lutiner Nicole. J'ai pleine confiance en toi, Garrett.

Il sourit. Après toutes ces années, c'était sa sœur maintenant qui le rassurait et apaisait ses angoisses.

— Pourquoi hésites-tu, alors ?

— Je suis simplement un peu surprise. Je sais bien que tu sors avec Nicole, mais... c'est sérieux entre vous ?

— Hein ? Non, pas du tout !

— Vraiment ? J'ai dû louper toutes les autres filles que tu as ramenées chez moi, alors, observa-t-elle avec malice.

Garrett leva les yeux au ciel. Il était piégé ; pire : il s'était piégé lui-même. C'est vrai, sa relation avec Nicole ne ressemblait pas aux autres. Même s'ils s'étaient entendus pour rester sur un mode *léger*. Mais bon, il n'allait pas expliciter toutes ces spécificités à sa sœur.

— Oui, évidemment, vu sous cet angle... Mais ne va pas te faire des idées sur Nicole et moi. Nous sommes juste...

— Des amis qui couchent ensemble ? le coupa sa sœur.

Non ! Ils étaient bien *plus* que cela. Du moins... Oh ! comme cela l'agaçait de devoir définir, qualifier cette relation ! Ne pouvait-on pas le laisser tranquille ?

— Nous sommes amis, c'est vrai, commença-t-il en jugulant son irritation. Je l'apprécie beaucoup. Nous passons des moments formidables, mais... Bref, nous avions prévu de sortir ce soir et ce serait vraiment bizarre de la planter, alors qu'elle connaît tes enfants. Tu comprends ?

— Bien sûr. Pas de souci.

Garrett fixa le téléphone, un doigt glissé entre son cou et le col de sa chemise. Il avait un coup de chaud, tout à coup. Pourquoi cette tendre ironie dans le ton de sa sœur ? Elle commençait à l'angoisser !

— Au départ, nous avions même décidé de ne pas sortir ensemble, expliqua-t-il. Il y a eu un malentendu. Si j'avais su que c'était la meilleure amie de Maeva, il ne se serait rien passé entre nous, tu penses ! Mais c'était trop tard. Enfin, je veux dire…

Il ne se rappelait pas avoir entendu sa sœur rire aussi fort. Bethany avait un très joli rire, mais celui-ci était à ses dépens.

— Bon, compte sur nous ce soir, je te laisse, j'ai du boulot, maugréa-t-il avant de couper la communication.

Il retourna sur le chantier, en essayant de se persuader que ce que pensait sa sœur lui importait peu. Pour la première fois depuis très longtemps, sa vie était exactement comme il le souhaitait. Et cela seul comptait.

En pénétrant chez Bethany Slovak, Nicole ne s'attendait pas à trouver Garrett debout au milieu du salon, en train de jouer frénétiquement d'une guitare invisible, face à la télé qui diffusait un concert d'AC/DC.

Le volume poussé au maximum ne parvenait pas à couvrir les hurlements de joie de ses neveux, Neil et Norman, visiblement ravis d'avoir un oncle aussi cool.

Il était leur idole.

La chanson se termina et Garrett salua son jeune public. Les deux garçons aperçurent alors Nicole et se précipitèrent vers elle pour lui raconter un début de soirée déjà chargé en péripéties.

L'ambiance se calma peu de temps après, au moment de lire la traditionnelle histoire. Garrett s'installa sur le canapé, entre ses neveux, et entama la lecture du *Monde de Narnia*. Comme les enfants, Nicole resta sous le charme de sa voix grave et bien timbrée.

Le chapitre terminé, il demeura inflexible face à ses neveux qui en réclamaient un second. Oncle Garrett n'était finalement pas si cool que cela…

Avant le coucher, il tint à ce que les garçons ramassent leurs jouets épars dans le salon, leur rappela le respect qu'ils devaient à leur mère, et les assura qu'il était fier d'eux.

Les petits montèrent se coucher fiers comme des petits paons, sous l'œil attendri de Nicole. Il y avait tant d'amour dans cette grande famille ! Lorsqu'elle y pensait, une émotion poignante la submergeait, jusqu'à lui piquer les paupières.

Elle avait alors l'impression que son univers tout entier frémissait, que le sol menaçait de s'écrouler sous ses pieds. S'agissait-il des fameux sables mouvants dont Joel avait parlé en évoquant leur relation ? Sans doute, car elle se sentait sur le point d'être aspirée, happée par un néant terrifiant dont personne, même pas Garrett, ne pourrait la sauver.

Une fois les enfants au lit, ce dernier revint se laisser tomber sur le canapé à côté d'elle.

— Je crois qu'ils ont leur compte, déclara-t-il.

Il poussa un grand soupir, qui laissait présager que lui-même était dans le même état.

— Tu es un oncle très attentionné. Ils ont de la chance, ces petits monstres, remarqua-t-elle en souriant.

— Moi aussi, j'ai de la chance. Mais je ne les ai pas toujours appréciés. Quand j'ai appris que Bethany attendait des jumeaux, j'ai été terrifié. Il y avait tant à faire, j'avais déjà tant de mal à nous maintenir la tête hors de l'eau, que j'ai eu peur d'être submergé. Cela me fait honte aujourd'hui, mais j'avoue qu'avant même leur naissance, je les considérais comme deux problèmes supplémentaires.

— Oh ! Garrett…

Nicole appuya la tête contre son épaule, pour lui

signifier qu'elle comprenait, qu'elle ne le jugeait pas. Il se mit à lui caresser les cheveux d'une main.

— A présent, je les adore, et ce depuis le premier regard que j'ai posé sur eux à l'hôpital. Je me sens responsable d'eux, je les prendrais à ma charge si jamais il arrivait malheur à leurs parents, mais cela ne m'effraie plus.

Les battements de son cœur retentissaient à l'oreille de Nicole. Son rythme cardiaque était à son image : stable, constant. Une fois qu'il avait offert son amour et sa protection, il ne les retirait plus jamais, comprit-elle. Et pourtant, il avait cru ne pas être prêt quand la famille s'était agrandie.

Nicole ne put s'empêcher de faire un parallèle. Elle aussi avait été prise au dépourvu par leur histoire. Elle n'avait pas imaginé être aussi bien avec lui, trouver si naturel le fait d'être ensemble.

Alors était-il possible que Garrett trouve en son cœur un peu plus d'espace pour envisager l'avenir avec elle ?

Bien sûr, ils étaient tombés d'accord pour ne pas emprunter cette direction, mais comment ne pas tenir compte de cette alchimie incroyable entre eux, de leur intimité, de cette complicité rayonnante qui les unissait ?

Elle s'obligea à refouler cet espoir. Pour ne pas trahir leur accord. Mais il s'obstinait à fleurir dans son cœur.

— Je sais que tu veux profiter de ta liberté toute récente, mais... tu comptes fonder ta propre famille un jour ? ne put-elle s'empêcher de demander.

Garrett se laissa aller contre le dossier du canapé avec un long soupir.

— Je ne sais pas. J'ai déjà un peu l'impression d'avoir élevé quatre filles ! J'ai passé des nuits à les veiller quand elles avaient la fièvre, je me suis rongé les sangs en période d'examens... Je t'avoue que la perspective de tout recommencer... non, ce serait vraiment trop pour moi.

— Je comprends. Tu étais toi-même très jeune et tu

t'es retrouvé dans le rôle d'un parent célibataire. Pourtant, tu as brillamment réussi ta mission, Garrett.

— J'en conviens. Mais justement, il ne faut pas tenter le diable. Il est plus sage de s'arrêter là !

Elle entendit la note d'humour dans sa voix mais ne parvint pas à sourire. Le désespoir qui l'envahissait l'obligeait à poursuivre son interrogatoire jusqu'à ce qu'il ne reste plus aucune ambiguïté sur le sujet.

— Et si tu rencontrais quelqu'un avec qui tu souhaites passer ta vie entière, quelqu'un qui t'épaulerait, pour que tu ne sois plus seul avec tes responsabilités ?

Le silence retomba. Puis Garrett répondit simplement :

— Non, Nikki. Ce n'est pas ce que je veux.

Nicole descendit du taxi dont Garrett, toujours aussi prévenant, venait d'ouvrir la portière. Son cœur se serra en le voyant si souriant et à l'aise.

Pour elle, tout avait changé.

Une petite voix en elle avait beau crier qu'elle devait patienter, laisser du temps au temps avant de retracer les limites qu'ils s'étaient fixées, elle avait dérivé, sans même s'en apercevoir, vers une zone dangereuse où elle se tenait désormais seule.

Oui, elle savait déjà qu'elle ne pourrait plus rejoindre Garrett et leur belle *légèreté* si réconfortante.

Par conséquent, elle devait fuir avant d'être vraiment blessée. C'était la seule solution. Même si la petite voix dans son crâne lui hurlait le contraire.

Elle se laissa embrasser devant le restaurant où son amant avait réservé une table pour la soirée. Leur dernière ensemble, très probablement.

Pour se donner du courage, elle inspira profondément ; elle ne trouva que l'odeur envoûtante de Garrett et s'abandonna par faiblesse à ces bras forts qui l'étreignaient une ultime fois.

— Eh, ça ne va pas ? demanda-t-il à mi-voix en lui caressant les cheveux.

Il n'avait aucune idée de son bouleversement intérieur, qu'elle n'avait pas l'intention de lui laisser entrevoir.

— Si, ça va, prétendit-elle en s'écartant doucement, un sourire contraint aux lèvres. Pouvons-nous aller boire un verre à l'intérieur ?

— Mais j'ai réservé une table…

Il avait laissé son bras autour d'elle — même s'il n'était pas amoureux d'elle, nul doute qu'il aimait son contact physique.

— Je préfère juste prendre un verre, répliqua-t-elle.

Cette fois elle avait durci le ton. Il le perçut aussitôt puisqu'il plissa les paupières et, sans discuter, la précéda à l'intérieur de l'établissement.

Il aurait dû se douter que quelque chose n'allait pas. Après avoir quitté le domicile de Bethany, la veille, Nicole avait préféré rentrer chez elle, sous prétexte qu'elle était fatiguée. Néanmoins, il avait discerné la tension qui l'habitait et lui raidissait les épaules.

Vingt-quatre heures plus tard, cette tension était toujours là, et Nicole refusait d'aller au restaurant. Il ne fallait pas être grand clerc pour deviner que son malaise avait leur couple pour origine.

Bon sang ! Cette hypothèse le rendait malade.

— Dis-moi ce que tu as sur le cœur, Nikki.

Assise sur le haut tabouret de bar, elle ferma les yeux, se mordilla la lèvre inférieure, puis pivota vers lui avec une expression qu'il lui voyait pour la première fois.

— Toutes ces semaines que nous avons passées ensemble ont été formidables. Elles m'ont permis de me rendre compte qu'il manquait quelque chose dans ma vie, ce dont je n'avais pas conscience. Mais ni toi ni moi n'avions l'intention de faire durer cette relation. Et je crois qu'il vaut mieux y mettre un terme dès maintenant.

Il hocha la tête — machinalement, plus pour se confirmer à lui-même qu'il avait eu le bon pressentiment que pour approuver les paroles de sa compagne.

Nicole parut respirer plus librement, mais il n'était pas question qu'il capitule si aisément.

— De quoi parles-tu, Nicole ? Bien sûr que tout cela s'arrêtera un jour, mais pourquoi maintenant, alors que tout va bien ?

Comme elle gardait le silence, il insista :

— Est-ce qu'il s'est passé quelque chose que j'ignore ? A ton travail, ou avec ma sœur ?

— Non, rien de particulier. C'est juste que… si nous voulons nous séparer en bons termes, il me semble que c'est le bon moment. Tu n'es pas d'accord ?

Garrett se frotta la nuque, perplexe. S'il avait eu davantage l'habitude des relations homme-femme — autres que purement physiques —, cela l'aurait-il aidé à y voir plus clair ? Car il devait s'avouer que jusqu'à présent, cette conversation n'avait aucun sens pour lui.

— Tu es en train de me dire qu'il n'y a pas de problème précis, que tu n'es pas fâchée contre moi, que tu tiens toujours à moi et tu voudrais rompre pour rester « en bons termes » ?

Il savait cependant déjà que la question était ailleurs.

— Ce qui me gêne à présent, c'est précisément ce sur quoi est fondée notre relation : la légèreté. Je tiens à toi, Garrett. Trop. Du coup, je me sens en déséquilibre et tout sauf *légère*. Je commence à vouloir plus que ce que nous étions convenus de nous donner. Et je ne veux pas dévaler cette pente.

Elle parut soulagée d'avoir réussi à exprimer son point de vue. Le cœur de Garrett, en revanche, s'était mis à battre la chamade. Ainsi, Nicole prenait peur... Etant donné son passé et les deux histoires douloureuses qu'elle avait vécues, il ne pouvait pas l'en blâmer. Néanmoins, il n'allait pas lui donner de faux espoirs, lui faire des promesses qu'il ne pourrait pas tenir.

— Tu comptes boire ça ? demanda-t-il en désignant le verre de soda posé devant elle.

— Non.

— Alors viens. Allons-nous-en.

Il la prit par la main. Sans mot dire, elle le suivit.

Hors du restaurant, il jeta un regard éperdu autour de lui. Il connaissait le quartier comme sa poche mais sous le coup du choc et de la frustration, il était tout à coup incapable de s'orienter, comme si ce qui était en train de se passer lui brouillait le cerveau.

Nicole se tourna face à lui.

— Merci d'être si compréhensif, Garrett. C'est primordial pour moi que les choses se passent bien entre nous. En particulier à cause de Maeva.

Lui, compréhensif ? ricana-t-il intérieurement. Pas vraiment ! Et est-ce que les choses se passaient bien ? Non. Tout allait de travers.

Pour la première fois, il comprenait ce qu'avaient ressenti ses vieux potes quand, la mine défaite, ils évoquaient une récente rupture.

Cela faisait mal.

— Je vais prendre un taxi, lança-t-elle.

— Non. Je te ramène chez toi. Je comprends pourquoi tu as préféré rompre dans un bar bondé, mais tu me dois bien une explication les yeux dans les yeux, non ?

Elle hésita, avant d'acquiescer finalement :

— D'accord.

Quelques minutes plus tard, Garrett s'installait au volant de sa voiture, Nicole assise à son côté. Avec un soupçon de panique, il se dit qu'il disposait d'environ dix minutes de trajet, guère plus, pour trouver le moyen de la faire changer d'avis.

Quand Nikki ouvrit la porte de son appartement, exactement douze minutes plus tard, Garrett avait un plan.

Il attendit qu'ils soient entrés dans le vestibule pour glisser un bras autour de sa taille et enfouir une main dans sa chevelure rousse. Puis, sans s'arrêter à son petit cri de surprise, il inclina la tête et captura sa bouche dans un baiser impérieux.

Voilà en quoi consistait son plan : lui rappeler la raison première pour laquelle ils étaient tombés dans les bras l'un de l'autre — ce désir flamboyant entre eux. Et qui n'était pas près de s'éteindre : à peine avait-il enlacé sa proie qu'elle s'était alanguie contre lui, la tête renversée en arrière, les mains nouées autour de son cou dans un geste automatique. C'était bien la preuve, se dit-il, qu'ils pouvaient continuer à se voir, et même laisser leur histoire devenir *un tout petit peu* plus sérieuse.

Où était le mal, après tout ? Il serait toujours temps de rompre quand la passion se serait dissipée. Mais là, c'était trop tôt !

Beaucoup trop tôt.

Les yeux noyés de larmes brûlantes, la gorge serrée sur les mots qu'elle n'avait pas envie de prononcer, Nicole parvint à s'écarter de Garrett.

— S'il te plaît, arrête !

— Non, Nikki. Je ne veux pas arrêter. Et je sais que tu ne le veux pas, toi non plus.

C'était vrai. Elle avait terriblement envie de lui. Mais elle voulait plus. Elle le voulait *lui*, Garrett, tout entier, dans sa vie, à ses côtés. Mais lui ne désirait que son corps et le plaisir charnel qu'ils pouvaient partager.

— Arrête !

— Nikki…

— Non !

Elle savait qu'il respecterait ce mot, telle une barrière infranchissable. Et en effet, à son grand soulagement, il laissa retomber ses bras, recula, se refusant seulement à lui lâcher la main.

— Pourquoi, bon sang ? Nous sommes si bien ensemble ! O.K., je comprends, tu as peur parce que les choses vont un peu au-delà de ce que nous avions prévu. Bon, très bien, freinons et…

— J'ai déjà essayé, Garrett. Ça n'a pas marché. Tu as raison, nous sommes bien, trop bien ensemble. Et je veux plus.

— Plus… dans quelle mesure ? fit-il semblant de demander, alors qu'il se doutait de la réponse.

— Je veux pouvoir imaginer l'avenir à tes côtés. Imaginer que nous décidions d'habiter ensemble. De fonder une famille. Toutes ces choses *sérieuses* dont tu ne veux pas.

— Dès le début, nous étions d'accord pour…

— Je sais ! coupa-t-elle. Mais c'est comme ça, ni toi ni moi n'y pouvons rien. Alors il est temps de dire stop.

L'expression de Garrett s'était assombrie. Un petit muscle tressautait le long de sa mâchoire. L'espace d'un instant, elle crut qu'il allait la contredire. Un embryon d'espoir naquit en elle.

Mais l'horizon ne recelait décidément aucune révélation, nulle surprise. Il ne protesta pas. Ne chercha pas à argumenter. Lentement, il hocha la tête.

— D'accord. J'ai compris. Je suis désolé.

Oui, elle aussi était désolée. O combien…

Il déposa un baiser sur sa joue.

— Prends bien soin de toi, Nikki.

12.

Garrett avait attendu une dizaine de jours avant de s'aventurer de nouveau en ville avec Jesse et ses amis. Sam avait organisé la soirée sur un coup de tête et, comme Nicole adorait à la fois les sorties improvisées et Jesse, Garrett était quasi sûr de la trouver là-bas.

Il ne fut pas déçu : à peine eut-il franchi le seuil du bar qu'il repéra une crinière de boucles rousses autour de la table haute colonisée par leurs amis.

Les jours et les nuits avaient passé depuis qu'il avait vu Nicole pour la dernière fois. Il avait intégré que leur aventure était terminée ; désormais, il était prêt à renouer leur *amitié*.

Parce qu'elle lui manquait sacrément.

Leurs conversations, leurs fous rires, leur connivence lui manquaient.

Cela arrivait tout le temps que deux personnes qui s'appréciaient passent du statut d'amants à celui d'amis. Eh bien, ils feraient pareil, voilà tout.

Il agita la main pour saluer la troupe puis traversa la salle en direction de leur table. On l'accueillit avec des sourires tandis qu'il ôtait son manteau, mais c'est seulement quand sa sœur se pencha vers elle que la seule personne qui l'intéressait consentit à pivoter face à lui, révélant deux yeux noisette emplis d'anxiété.

Pourtant, elle n'avait pas à s'inquiéter. Il n'y aurait pas de malaise, il y veillerait.

Il serra des mains, claqua quelques paumes, puis attrapa Nicole par l'épaule pour lui donner une accolade tout à fait amicale et platonique.

— Comment vas-tu ?

Parfait ! Il était naturel, parfaitement détendu. Tout allait pour le mieux dans le meilleur des mondes.

— Bien, merci. Je ne m'attendais pas à te voir, répondit-elle du bout des lèvres.

Elle avait baissé les yeux. Bon, d'accord, il y avait un léger malaise, indéniable. Cela pouvait se comprendre.

— Je me suis décidé au dernier moment. Au boulot, je suis submergé. J'avais envie d'une petite pause. J'ai besoin de souffler un peu. C'est vraiment le rush.

— Oui, je comprends.

Ça ne se passait pas du tout comme il l'avait prévu. Nicole était tendue, elle fuyait son regard. Tout à coup, Garrett se dit qu'il avait commis une belle erreur en venant.

Décidé à en avoir le cœur net, il prit Nicole par le coude pour l'entraîner un peu à l'écart.

— Ça ne te dérange pas que je sois là, lança-t-il tout à trac.

Sapristi, il n'avait pas posé une question : il venait d'émettre un constat ! Parce qu'en vérité, il n'avait pas du tout envie qu'elle lui dise le contraire.

— Oh oui ! répondit-elle, les yeux écarquillés. Je veux dire… non, ça ne me dérange pas. Tu… tu m'as prise au dépourvu, c'est tout.

— J'aurais dû t'appeler avant pour te prévenir. Tu aurais eu le temps de te faire à l'idée.

— Non. Nous sommes adultes. Ça ira, je t'assure. Ne t'inquiète pas pour moi.

Cette fois, son sourire était sincère. Garrett fut tout de suite mieux, prêt à entamer cette nouvelle étape dans leur relation : l'amitié.

— Bon, je vais aller me chercher un verre. Tu veux quelque chose ?

— Comment ça, tu ne viens pas ? s'écria Maeva au téléphone.

A peine Nicole avait-elle envoyé à son amie un texto pour lui annoncer qu'elle n'irait pas au barbecue organisé chez Bethany que son portable avait sonné.

— Ma voiture n'a pas démarré ce matin, il faut que je l'amène au garage.

— Menteuse.

— Ça doit être l'alternateur, ajouta Nicole sans se démonter.

— Oui, sûrement. Ou bien tu te défiles pour ne pas croiser Garrett. Nikki, tu m'avais promis que rien ne changerait !

Certes. Et sur le moment, elle avait été tout à fait sincère.

Son regard se porta vers la fenêtre. Dehors le soleil brillait pour la première fois depuis longtemps. C'était une journée idéale pour un barbecue. Et elle avait très envie de voir tous les gens invités chez Bethany.

Tous, sauf Garrett.

En réalité, elle mourait d'envie de le voir. Même si cela lui ferait horriblement mal. Mais il ne fallait pas. Depuis un mois qu'ils avaient rompu, elle ne l'avait revu que quatre ou cinq fois. Et chaque occasion avait été pire que la précédente. Elle ne s'était pas attendue à ce qu'il soit si difficile d'être son amie, quand son cœur criait qu'elle voulait être tellement plus pour lui.

Or, il suffisait qu'il entre dans une pièce pour que sa température corporelle monte de plusieurs degrés, qu'elle se dise qu'elle avait peut-être eu tort, ou bien qu'il avait peut-être changé d'avis à propos de la viabilité d'une relation moins *légère* entre eux.

Sauf que rien n'avait changé. Elle en voulait toujours trop. Elle exigeait toujours des autres ce qu'ils ne pouvaient ou ne voulaient pas lui donner. Paul. Joel. Et même son père. Pourquoi cela aurait-il été différent avec Garrett qui, dès le début, l'avait prévenue des limites qu'il ne franchirait pas ?

Chaque fois qu'ils s'étaient recroisés, il lui avait paru aussi à l'aise qu'à l'ordinaire. Attentionné, mais sans aucune arrière-pensée. Elle aurait peut-être pu supporter cette attitude s'il s'était mêlé au groupe comme n'importe lequel de leurs amis. Or, il revenait sans cesse vers elle, soit pour lui proposer à boire, soit pour lui glisser une plaisanterie ou une remarque complice. Et parfois, par inadvertance, il lui frôlait le coude au passage, inconscient des ravages que provoquaient en elle tous ces petits riens.

— Maeva, je ne peux pas me déplacer, je suis bloquée chez moi. Alors excuse-moi auprès de Bethany et des autres, s'il te plaît.

— Tu es sûre que tu maintiens l'histoire de l'alternateur ?

— Certaine.

— Très bien. Alors Garrett va passer te prendre chez toi d'ici dix minutes.

— Elle a démarré cinq fois, au quart de tour, constata Garrett avec un petit sourire ironique.

— C'est bizarre… Ce devait être une impureté dans l'essence.

Nicole se maudit intérieurement pour cette idée désastreuse de voiture en panne. A présent, elle allait se retrouver enfermée dans la voiture de Garrett pendant au moins vingt minutes, le temps d'aller chez Bethany. Seuls dans cet habitacle exigu.

Subitement, les souvenirs déferlèrent. En particulier cette fois où il avait dû se garer en urgence parce que ses baisers et agaceries l'avaient rendu fou ; les vitres tout embuées ; l'intervention d'un officier de police réprobateur…

— Bon, avoue-le, ta voiture s'est toujours portée comme un charme.

— Je voulais t'éviter, confirma Nicole — à quoi bon nier l'évidence ?

— Ce n'était pas la bonne technique, on dirait. Tu sais pourtant que je ne peux pas m'empêcher de me transformer en preux chevalier pour les demoiselles en détresse.

Il lui prit la main et ajouta :

— Pourquoi tu ne me dis pas ce qui ne va pas ? On est amis, on peut tout se dire, non ?

Nicole secoua la tête et lui retira sa main.

— Non, Garrett. Je ne parviens pas à être ton amie, désolée. Ton amitié, ton sourire, tes réflexes protecteurs : tout ça me fait regretter encore plus ce que tu ne veux pas que nous partagions. Je suis trop bien avec toi, je n'en ai jamais assez et je ne peux pas me défendre contre ça.

— Alors tu veux qu'on s'évite, maintenant ? Tu viendras chez Bethany ou tu sortiras avec nos amis quand je n'y serai pas. Et vice versa ?

Nicole baissa les yeux et soupira.

— Nous fréquentons le même cercle de gens, dit-elle en relevant la tête. Nos chemins sont donc amenés à se croiser souvent. Je ne peux pas te demander de restreindre tes sorties avec tes amis. De même que moi…

— Mais que veux-tu, alors ? s'exclama-t-il d'un ton exaspéré.

La colère la saisit soudain. De quel droit se permettait-il de lui parler ainsi ? Elle n'avait rien fait de mal, ne lui demandait pas de sacrifier ses amis pour elle.

— Je veux que tu arrêtes d'être gentil avec moi, de me parler d'amitié, de te soucier de ma voiture et de mon bien-être ! répliqua-t-elle, virulente. Toutes ces attentions qui me font croire que tu tiens à moi et qui me font espérer plus, je ne les supporte plus ! Arrête de *murmurer à mon oreille*, Garrett !

Elle n'avait pas pu s'empêcher de lui décocher ce coup bas. Il réagit immédiatement en se raidissant, les yeux brillants de colère.

— Comment peux-tu dire ça ? Je n'ai rien fait pour essayer de te séduire ou de te faire changer d'avis. Je t'ai laissée tranquille. Bon sang, chaque fois que je te vois, j'ai envie de t'embrasser et de t'entraîner dans un coin sombre, de te dire combien tu me manques ! Et pourtant, je me suis contenu. J'ai à peine posé la main sur toi !

— Tu ne comprends rien ! s'emporta-t-elle de plus belle. Je ne te parle pas de sexe. Tu as envie de me plaquer contre un mur et de soulever ma jupe ? O.K., vas-y ! Ça, je peux le supporter, sans me faire un film sur un avenir qui ne se réalisera jamais. Mais surtout, après, va-t'en ! Ce sera cent fois plus facile pour moi que de te voir jouer les chevaliers servants !

Nicole lut dans le regard de Garrett de l'impuissance, de l'incrédulité et de la rancœur.

— Tu voudrais que je me serve de toi et que je m'en aille ? Tu es folle ou quoi ? Je ne ferais jamais ça ! Je ne suis pas un salaud !

— Pourquoi ne te comporterais-tu pas ainsi ? Parce que tu aurais peur que je ne t'*aime* plus ? Ton ego ne le supporterait pas ? Non, ne fais pas cette tête ahurie, c'est bien de cela qu'il est question, Garrett. Même si j'ai toujours envie de toi, je ne veux plus t'*aimer* ! Je ne veux plus soupirer après un pseudo-prince qui me traite comme une princesse mais ne me trouve pas digne de partager sa vie.

— Oh ! bon sang, tu sais bien que ce n'est pas ça ! s'exclama-t-il, excédé, en la saisissant aux épaules.

Elle se dégagea d'une bourrade.

— Pourtant, ça y ressemble bien, rétorqua-t-elle d'une voix dure.

Il la dévisagea un moment, une expression ulcérée sur les traits. Puis il tourna les talons et, les yeux noyés de larmes, Nicole le vit quitter l'appartement.

Garrett écoutait d'une oreille distraite la jeune femme qui buvait un verre à sa table et qui, depuis vingt minutes, monologuait à mi-voix, posant de temps à autre sa main sur son avant-bras dans un geste léger — qui était pourtant une invite ouverte.

Leslie Walter était la fille d'un fournisseur. Il l'avait déjà croisée à une ou deux reprises dans le cadre de son travail. Elle était jolie, bien faite, elle avait de la conversation, mais il n'était pas intéressé. En fait, son regard revenait sans cesse se poser sur Nicole, qui se trouvait à l'autre bout de la salle, en grande discussion avec…

Involontairement, il se crispa en voyant deux bras masculins se refermer sur sa taille fine pour l'attirer dans une étreinte, qui s'éternisa de longues secondes, comme si le type refusait de la lâcher.

Qui était-ce ?

Garrett chercha du regard quelqu'un qui aurait pu le renseigner. Sam ? Introuvable. Jesse était en train de parler à un journaliste de *La Tribune*. Et Maeva n'était pas là ce soir.

— J'ai une confession à vous faire, Garrett.

Il sursauta, brutalement ramené à la conversation par le changement de ton de Leslie.

— Pardon ?

— Dès le premier jour où je vous ai vu, j'ai senti que vous me plaisiez.

Elle souriait. Sa main s'était de nouveau posée sur son bras. Elle le regardait de ses superbes yeux verts de chat.

— Leslie, c'est très gentil à vous de me dire ça,

bredouilla-t-il. Je suis flatté, mais… je ne suis pas libre. Je sors déjà avec quelqu'un.

Là-bas, au bout du bar, Nicole avait porté la main à sa gorge, comme si elle avait du mal à se remettre de sa surprise. Garrett ne voyait toujours pas le visage de celui qui venait de la serrer si fort dans ses bras.

— Transmettez mes salutations à votre père, Leslie, ajouta-t-il.

Puis il lui souhaita brièvement une bonne fin de soirée avant de se lever pour s'approcher du comptoir. Il se conduisait comme un goujat, mais c'était plus fort que lui.

Le rire de Nicole retentit. Dans la lumière tamisée du bar, il apercevait la ligne délicate de son cou de cygne. Le type la tenait toujours par le coude. Sans doute attendait-il que la complicité grandisse encore entre eux pour tenter quelque chose de plus osé…

Le sang de Garrett s'était mis à bouillir dans ses veines. Si jamais Nicole se rapprochait, se laissait aller dans une attitude plus intime encore, bon sang, il ne répondrait pas de ses actes !

Et c'est exactement ce qui se produisit : l'inconnu glissa un bras autour de sa taille, sans qu'elle cherche à se dégager. Elle tourna simplement la tête et… son regard croisa soudain celui de Garrett.

C'était idiot et puéril, sans doute, mais il ne lui était jamais venu à l'esprit qu'un autre homme puisse prendre la liberté de la toucher, alors qu'il lui était désormais interdit de le faire.

Une fureur noire l'envahit et ses poings se serrèrent convulsivement.

Nicole s'était demandé s'il était possible qu'elle soit attirée par un autre homme que Garrett. Elle détenait maintenant la réponse face à celui qui, jadis, avait été toute sa vie.

Avec le recul, elle comprenait aujourd'hui que Paul ait rompu avec elle avant de se laisser passer la corde au cou si jeune. Elle lui reconnaissait *a posteriori* le droit de goûter à la vie et à la liberté. Simplement, il aurait été plus adéquat de le lui dire *avant* de glisser une bague de fiançailles à son doigt.

Elle ne lui en voulait pas, elle était complètement guérie de cet amour blessé. En revanche, elle sentait le regard de Garrett la transpercer de l'autre bout de la salle. Même Paul finit par le remarquer.

— Qui est-ce ? s'enquit-il.

— Garrett Carter.

— Carter... L'entrepreneur qui a abattu ce gratte-ciel du côté de Wabash ? Vous êtes liés, tous les deux ?

— Nous l'étions il y a peu encore, admit-elle, sans prendre la peine de masquer la souffrance dans son sourire et dans sa voix.

Après tout, Paul, qu'elle avait failli épouser, était l'ami cher que Garrett avait cru pouvoir devenir.

— Et apparemment, ce n'est pas tout à fait terminé, commenta-t-il en jetant un coup d'œil à Garrett qui s'approchait. Ecoute, Nikki, je sais que tu es forte et indépendante, mais si jamais tu as besoin d'une épaule, ou d'une oreille attentive, je suis là. N'hésite pas.

— Merci, Paul.

Il lui pressa le bras, lui caressa la joue, avant de s'éloigner sur un dernier regard appuyé et tendre.

Avec un pincement au cœur, Nicole regarda disparaître de sa vue cet homme qui incarnait tout un pan de sa vie. Puis elle pivota face à Garrett, dont les yeux bleus étincelaient.

— Tu as fini ? jeta-t-il d'une voix sèche. Tu le fais exprès ? Tu veux me rendre fou ?

Elle plissa les paupières et recula d'un pas. Elle

avait conscience de la présence de Garrett lorsque Paul l'avait prise dans ses bras ; elle savait qu'il les regardait. Toutefois, elle n'avait jamais cherché à le rendre jaloux : sa rencontre avec Paul ce soir avait été totalement fortuite.

— Bonsoir Garrett. Dis à Jesse que je l'appellerai demain, s'il te plaît, articula-t-elle.

Puis elle tourna les talons et le planta là.

De retour chez elle, Nicole ouvrit la porte à la volée ; le battant rebondit contre le mur. Le souffle court, elle se repassa les événements de la soirée, rejouant la dernière scène avec les dialogues qu'elle *aurait dû* prononcer.

Elle avait envie de hurler.

Il n'avait pas le droit !

Jetant ses clés dans la soucoupe, sur la console, elle se mordit la lèvre, s'avança vers le séjour en serrant les poings.

Le bruit de la porte qui claquait dans son dos la fit sursauter. Elle ne s'était pas souciée de la refermer en entrant. Elle fit volte-face. Qui ?... Elle n'eut pas le temps de se poser la question : Garrett était debout dans le vestibule.

— Tu t'es bien amusée ? demanda-t-il d'une voix sourde.

— Mais je ne...

— Oh si, tu savais très bien ce que tu faisais ! Et tu as gagné.

D'un doigt, il desserra son nœud de cravate, puis fit sauter un bouton de sa chemise, un deuxième, la mine hostile, déterminée. Nicole retenait son souffle. Elle ne savait pas jusqu'où il était capable d'aller, ni si elle aurait la force de le repousser. Eperdue, elle recula jusqu'à heurter du dos le plateau de la table.

En trois enjambées, Garrett la rejoignit. Il posa ses

larges mains sur ses hanches, trouva son chemin sous l'ourlet de sa jupe qu'il retroussa pour révéler sa culotte de soie.

— Tu espérais me mettre à genoux, c'est cela ? Eh bien voilà, c'est fait !

Joignant le geste à la parole, il s'agenouillait devant elle ; il tira sur sa culotte, la faisant glisser sur ses jambes. Nicole ne put retenir un gémissement de désespoir. Elle aurait dû fuir, protester, mais son corps refusait de bouger. Serait-elle donc toujours sous l'emprise sensuelle de cet homme ? En cet instant, ses traits crispés ne reflétaient nulle tendresse, nulle affection, et pourtant elle le laissait faire, assoiffée de ses caresses enivrantes.

Quand il posa la bouche juste en dessous de son pubis, toute pensée rationnelle fut balayée par une houle sensuelle.

Quoi qu'elle veuille, quoi qu'elle dise, elle appartenait à Garrett.

Ses lèvres, sa langue, l'explorèrent au plus intime. Il la renversa sur la table, lui ouvrit les cuisses encore plus largement, et elle ne pouvait que s'offrir à lui, emportée par une tornade de volupté, sans plus chercher à retenir ses cris de plaisir.

L'orgasme la foudroya, sans calmer la faim qu'elle avait de lui. Tremblante, elle se redressa sur un coude.

— Viens ! Je te veux en moi ! dit-elle, haletante.

Ce n'était que du sexe, mais elle désirait de toutes ses forces cette fusion ; elle voulait son corps si viril contre le sien, son sexe en elle, sa sueur, sa chaleur, son odeur, sa peau… Elle voulait lui donner ce même plaisir extatique, puis le sentir s'effondrer, peser sur elle, et percevoir les battements sourds de son cœur.

Mais Garrett s'était redressé. Droit, les yeux écarquillés, il ne la regardait plus.

— Garrett ?

Le silence retomba. Enfin, d'une voix atone, il jeta :

— Bonsoir, Nicole.

L'instant d'après, la porte claquait. Incrédule, elle se retrouva seule, à demi allongée sur la table du séjour.

Le message était très clair. Garrett venait de lui donner une leçon en lui offrant un plaisir vain, dénué de sentiments. Et vu ce qu'elle éprouvait en cet instant, elle n'était pas près de l'oublier.

13.

D'abord, la jalousie. Puis la honte. Et maintenant, Garrett était en proie à un violent sentiment de culpabilité.

— C'était son ex-fiancé ? répéta-t-il, abasourdi.

Bien qu'il soit en présence de sa plus jeune sœur, il ne put retenir un flot de grossièretés. Il comprenait maintenant l'attitude familière de Nicole envers cet homme, leur connivence flagrante, et même ces regards pleins de questions qu'ils avaient échangés.

Ce type avait été le premier amoureux de Nicole, son premier amant, son premier chagrin d'amour. A une époque où tous deux n'étaient guère plus que des enfants. Or, aujourd'hui, cette personne si importante dans sa vie était devenue un homme. Qui avait vécu et était désormais capable d'apprécier Nicole à sa juste valeur, comme le bijou qu'elle était. Et Garrett était sûr d'avoir entrevu dans son regard plus que de la nostalgie : des regrets, du désir…

— Son ex, oui, confirma Maeva. Mais je sais que, depuis leurs retrouvailles l'autre soir, il a pris ses renseignements sur Nikki auprès de Sam. Elle l'intéresse, de toute évidence. Et elle m'a dit un jour que si elle avait rencontré Paul dix ans plus tard, il aurait certainement été l'homme de sa vie. Tu comprends ou il faut que je te fasse un dessin ?

Garrett se passa une main nerveuse dans les cheveux ;

il détourna les yeux vers la fenêtre de son bureau et le ciel qui s'assombrissait.

— Alors, tu comptes agir, oui ou non ? s'impatienta sa sœur.

Agir ? Mais que faire ? Et surtout, *pourquoi* ?

Non, il allait s'abîmer dans le travail, le temps de se ressaisir, d'arrêter de penser à Nicole, de se demander quand il pourrait la voir, ce qu'elle penserait du rachat d'une scierie, ou si cette mauvaise blague que lui avaient racontée ses gars sur le chantier la ferait rire. Car il devait absolument trouver le moyen de se l'ôter de l'esprit. Ce n'était pas équitable de la retenir à lui par les sens tout en sachant qu'il ne pouvait lui donner ce à quoi elle aspirait… et qu'elle méritait, en toute objectivité.

— Je ne vais rien faire du tout, répondit-il enfin. C'est terminé entre Nicole et moi. Et si elle veut donner une deuxième chance à son Paul, ça la regarde.

Maeva laissa échapper un bruit qui hésitait entre le grognement et le ricanement.

— Tu es vraiment un crétin, Garrett !

Sur ce point, il ne discuterait pas. Mais il en avait assez de se conduire comme un salaud. Il devait des excuses à Nicole et en avait parfaitement conscience. Pourtant, il ne se résolvait pas à décrocher son téléphone, ni à aller la trouver. Alors il allait lui accorder ce qu'elle réclamait depuis plus d'un mois : la laisser tranquille.

Certes, ils se séparaient sur une note particulièrement amère, mais… après tout, ce serait peut-être plus facile ainsi pour lui de reprendre le cours de sa vie.

Après plusieurs jours sans que Garrett cherche à reprendre contact avec elle, Nicole avait enfin admis que leur histoire était bel et bien finie. Elle aurait dû être soulagée. Et peut-être l'était-elle : elle avait du mal à identifier les émotions douloureuses qui lui gonflaient le cœur.

Elle laissa passer quelques semaines, durant lesquelles elle évita soigneusement le sujet avec Maeva. Un jour, celle-ci laissa entendre que Garrett n'était pas ressorti avec leur groupe d'amis depuis le soir où Nicole avait revu Paul. Sans doute son amie voulait-elle lui faire comprendre qu'elle pouvait reprendre une vie sociale normale sans craindre de croiser son frère ; cependant, Nicole avait décidé de tourner la page. Garrett avait déjà fait beaucoup de sacrifices dans sa jeunesse. Maintenant qu'il avait retrouvé ses amis et qu'il pouvait enfin profiter d'eux, elle n'allait pas se mettre au milieu et lui imposer des restrictions.

C'était à elle de céder la place.

Ce ne serait pas la première fois qu'elle repartirait de zéro. Elle en avait été capable à deux reprises par le passé, et avait su trouver son propre chemin.

Elle recommencerait, voilà tout.

C'était l'anniversaire des jumeaux et, comme chaque année, l'événement donnait l'occasion à la famille de se réunir dans une débauche de cadeaux, gâteaux et confiseries.

Les garçons devaient en être à leur troisième glace au chocolat. La belle-mère de Bethany était en train de commenter le visionnage des photos numériques sur l'écran géant de la télé, dans une chronique qui allait de l'annonce du résultat positif du test de grossesse au match de football de la semaine précédente.

D'ordinaire, Garrett participait activement aux réjouissances. Mais ces temps-ci, il n'avait plus goût à rien. Les jours passaient et l'absence de Nicole devenait comme un trou béant dans son existence, qui grandissait, grandissait, éteignant peu à peu sa joie de vivre.

Ce matin-là, il s'était éveillé avec l'espoir absurde qu'il la retrouverait peut-être à l'anniversaire. Ce qui n'avait aucun sens, puisqu'elle n'avait jamais été invitée aux fêtes strictement familiales. Et même si elle s'était rapprochée de ses sœurs ces temps derniers, même si Bethany lui avait demandé de venir, comme il avait cru le comprendre, Nicole avait sûrement décliné. Déjà, elle ne fréquentait plus leur cercle d'amis.

Pourtant, cela n'avait pas empêché Garrett de la chercher du regard par réflexe, dès qu'il avait franchi le seuil de la maison, une heure plus tôt. Depuis, il s'efforçait sans conviction d'endosser son rôle d'« oncle cool ». Mais les jumeaux regardaient la télé avec leur grand-mère et l'ennui menaçait de le terrasser.

Il décida de se secouer et quitta discrètement le salon pour sortir prendre un peu l'air. D'ailleurs, sans doute ses sœurs étaient-elles également dans le jardin car il s'avisait maintenant qu'elles avaient toutes quatre disparu.

Il se dirigeait vers le garage quand un bruit de murmures étouffés lui parvint par la porte de la buanderie restée entrebâillée.

— … enceinte de deux mois !

Garrett se figea en reconnaissant la voix de Maeva.

Son cœur se mit à battre follement dans sa cage thoracique. Sans réfléchir, il ouvrit le battant et se retrouva face aux quatre visages horrifiés de ses sœurs.

— *Enceinte ?* Comment ça, enceinte ? répéta-t-il d'une voix blanche.

Le temps parut suspendre son cours. Ses sœurs le dévisageaient sans mot dire, manifestement très gênées. Une brûlure corrosive lui rongeait déjà les entrailles, envahissait ses membres, sa poitrine, montait dans sa gorge. Soudain, après toutes ces semaines d'anesthésie, son corps reprenait vie dans une souffrance indicible.

Il saisit Maeva aux épaules et s'écria :

— Elle est enceinte ?

Les pensées se bousculaient dans sa tête. Tout se mélangeait. Des images de monospace et de siège-auto, de balançoire, de clôture en piquets blancs autour d'un jardin… En même temps, la terreur s'emparait de lui. Seigneur… S'ils devenaient parents et qu'il arrivait malheur à Nicole ? S'il la perdait ? S'il devait endosser seul la responsabilité de cette précieuse et fragile petite existence qui grandissait en elle…

Dans son ventre, la sensation de brûlure devint intolérable.

— Garrett, je t'en prie, calme-toi, dit Maeva d'un ton implorant.

Elle ne comprenait pas son angoisse. Elle n'imaginait pas à quel point…

— Tout va bien se passer, reprit sa sœur. Inutile de paniquer. Elle va se marier et…

— Quoi ?

Il avait presque hurlé. Dans le chaos émotionnel qui le ravageait, il vit le visage anxieux de Maeva s'éclaircir d'un brusque sourire. Sa colère flamba. Comment ? Elle trouvait la situation amusante ?

Mais avant qu'il ait le temps d'exploser, Maeva pouffa.

— Oh ! Garrett… Je ne parle pas de Nicole. C'est Erin qui est enceinte !

Il tourna vivement la tête, en même temps que trois paires de mains se posaient sur lui pour le faire pivoter vers la quatrième sœur.

Erin leva aussitôt la main pour exhiber la bague ornée d'un petit brillant qui figurait à son majeur.

— Garrett, s'il te plaît, ne te mets pas en colère. Regarde, George m'aime. Il m'a demandée en mariage et j'ai accepté. Nous allons nous marier !

Garrett était retombé dos contre le mur, partagé entre

l'inquiétude, le soulagement et… un curieux sentiment de déception, qu'il ne voulait surtout pas analyser.

— C'est vrai ? demanda-t-il enfin à Erin. Tu l'aimes ? Tu veux vraiment l'épouser ?

— Oui. Nous en parlions avant même de savoir, pour le bébé. Cela va juste précipiter un peu les choses. Nous voulions attendre Noël parce que nous trouvions l'idée romantique, mais…

Erin s'interrompit et lui adressa un sourire hésitant. Garrett lui ouvrit les bras dans un geste spontané.

— Alors félicitations, ma chérie ! Je suis si content pour toi ! s'exclama-t-il en toute sincérité.

Erin lui sauta au cou et ses trois autres sœurs se mirent à applaudir et manifestèrent bruyamment leur joie. Puis ils convinrent tous qu'il était temps de retrouver le reste de la famille.

Sur le point de pénétrer dans le séjour, Garrett fut retenu par Maeva, qui le saisit par la manche pour lui demander à mi-voix :

— Est-ce que ça va, toi ?

— Pas vraiment, avoua-t-il. J'ai un peu de mal à m'en remettre.

Avec un sourire, Maeva se hissa sur la pointe des pieds pour lui donner sur la joue un de ces doux baisers dont elle avait le secret, qui suffisait à ensoleiller la pire des journées.

— Garrett, tu as toujours été tellement formidable avec nous. Tu nous as élevées, protégées. Tu ne sais pas à quel point je te suis reconnaissante des sacrifices auxquels tu as consenti pour garder notre famille soudée. Mais je crois qu'il est temps que tu penses un peu à toi. Je t'aime, mon merveilleux frère ! Et je veux te voir heureux.

Elle n'aurait jamais dû venir.

C'était stupide et carrément masochiste. Cela revenait à verser du sel sur une plaie béante qui refusait de cicatriser. Mais Sam avait insisté pour qu'ils dînent ensemble chez lui. Il voulait lui parler, avait-il précisé. Et quand Nicole avait tenté de se dérober, il lui avait fait du chantage affectif en lui rappelant qu'il ne l'avait pas vue depuis plus d'un mois.

Elle avait besoin de sortir, avait-il plaidé, de s'aérer l'esprit. Et ils devaient discuter.

Alors elle s'était laissé convaincre.

Mais à présent qu'elle était sur cette maudite terrasse qui avait vu naître son rêve de bonheur envolé, elle regrettait d'avoir quitté son appartement.

Le vent froid d'octobre lui giflait les joues tandis qu'elle attendait le retour de Sam, parti leur chercher deux bières dans le frigo. Le soleil avait amorcé sa lente descente vers l'ouest. Le bruit des voitures montait de la rue dans un lointain brouhaha qui ne parvenait pas à briser la quiétude morne de la terrasse, bien loin de l'atmosphère chaleureuse de l'été passé.

Comment ne pas se remémorer ce coucher de soleil fatidique auquel elle avait assisté en compagnie de Garrett ?

Serait-elle venue à la fête ce jour-là si elle avait su ce qui l'attendait par la suite ? se demanda-t-elle soudain.

Oui. Sans hésitation.

Jamais elle ne regretterait ce qu'ils avaient vécu. Et si c'était à refaire, elle recommencerait, encore et encore. Parce qu'ils avaient partagé des moments incroyables. Et qu'il valait mieux avoir le cœur brisé que de ne rien ressentir du tout.

Un bruit de pas dans l'escalier la fit se retourner.

Mais ce ne fut pas Sam qui apparut dans l'encadrement de la porte.

C'était Garrett.

*
* *

Sa respiration se bloqua. Les doigts crispés sur la rambarde, elle réussit enfin à prendre une petite goulée d'air et s'exhorta au calme. Mais une voix s'était mise à crier dans sa tête : Garrett avait orchestré cette rencontre en s'assurant la complicité de Sam ; elle était tombée dans un piège.

Que lui voulait-il ? N'avait-elle pas déjà assez souffert ?

Leurs regards se croisèrent et elle se découvrit incapable de fuir.

Tranquillement, il déposa sur le parapet les deux bières qu'il avait apportées, puis saisit la couverture posée sur son bras pour la déplier. Il s'approcha d'elle et lui drapa la couverture sur les épaules.

Elle frissonna, enveloppée d'une douce chaleur.

— Nicole, je n'aurais jamais dû partir et te laisser comme ça, la dernière fois. Je me suis conduit comme une ordure. Je n'en avais pas le droit, mais j'étais fou de jalousie — ce qui n'est pas une excuse, bien sûr. Tu avais tout à fait le droit de parler avec un autre homme, surtout vu ce que tu venais de m'offrir et que j'avais repoussé.

Nicole sentit ses épaules se voûter malgré elle. Ainsi, Garrett était juste venu lui présenter des excuses. Après tout ce temps. C'était bien son genre : il savait qu'il s'était mal conduit et ne pouvait faire autrement que de le reconnaître. Jusqu'au bout, il assumerait ses responsabilités.

— Je n'étais pas en train de jouer avec toi, balbutia-t-elle. Du moins, pas consciemment. Je ne m'attendais pas à revoir Paul ce soir-là et…

— Tu n'as pas à te justifier.

Elle hocha la tête. Voilà, il avait reconnu ses torts, le sujet était clos. Prenant une profonde inspiration, elle tenta de changer de sujet :

— Alors, tu as profité des couchers de soleil, dernièrement ?

— J'en ai vu plusieurs. Mais on ne peut pas dire que j'en aie profité, non. En revanche, j'ai beaucoup pensé à toi.

Elle secoua lentement la tête.

— Garrett, il faut que tu cesses de t'inquiéter pour les autres. Et surtout pour moi. Je suis une grande fille. Et j'ai décidé d'avancer. On m'a proposé un emploi de comptable en Californie et j'ai postulé. Je dois passer un entretien d'embauche la semaine prochaine.

— Je ne peux que m'inquiéter pour toi, fit-il d'une voix fébrile, parce que même si tu es moitié moins désespérée et vide que je le suis, je ne sais pas comment tu fais pour survivre !

Comme elle demeurait coite, figée, il reporta son regard vers le ciel orangé.

— Maintenant que j'ai du temps, je regarde les couchers de soleil, murmura-t-il. Mais sans toi, ils n'ont plus aucune saveur. J'ai essayé d'échapper à ce lien qui nous unit. C'est impossible. Il existe et j'ai enfin compris son importance. Il est tissé d'amitié, de tendresse, de désir et de douce folie, tous ces sentiments auxquels je ne comprenais rien avant de te connaître. Cette force mystérieuse exige que tu fasses partie de ma vie à chaque instant, parce que ce que je fais avec toi est mille fois mieux que tout ce que je pourrai faire seul. J'ai été si bête de penser que tout pouvait rester léger et sans conséquence entre nous, de prendre notre histoire comme une relation banale, de te laisser partir alors que tu m'offrais quelque chose d'inestimable. Et je ne sais pas si je pourrai me le pardonner un jour.

Nicole posa ses mains tremblantes sur le torse de Garrett. La couverture glissa, sans qu'elle s'en soucie. Il rattrapa de justesse le pan de tissu, le lui passa autour des épaules et s'en servit pour l'attirer près de lui.

— Garrett, qu'es-tu en train de me dire ? Que tu veux

nous donner une deuxième chance ? Qu'il est possible de… d'envisager l'avenir ensemble ? balbutia-t-elle.

Elle vit sa pomme d'Adam remonter dans sa gorge. Il prit alors ses mains entre ses grandes paumes tièdes.

— Non. Je dis qu'il m'est impossible de concevoir l'avenir sans toi. Que je veux passer ma vie à tes côtés. Que ça ne me fait plus peur. Aujourd'hui, j'ai compris tellement de choses d'un coup ! J'ai entendu une conversation qui ne m'était pas destinée et sur un malentendu, j'ai cru que tu étais enceinte.

— Mon Dieu ! Mais Garrett, je ne…

Il l'interrompit d'un geste calme.

— Je sais. Mais l'espace d'une minute, je l'ai vraiment pensé et… j'ai sans doute vécu le moment le plus effrayant et vertigineux de toute ma vie ! Soudain, j'ai entrevu un futur qui me paniquait, certes, mais qui serait incroyable, merveilleux. J'ai mesuré ce que j'étais sur le point de perdre : une vie entière auprès de toi. Et j'ai compris, sans la moindre hésitation, ce que je désirais.

Il gonfla d'air ses poumons.

— C'est toi que je veux, pour toujours. Epouse-moi, Nicole. Je te supplie de bien vouloir devenir ma femme. J'en serais honoré et tu ferais de moi le plus heureux des hommes. Si toutefois tu es capable de me pardonner.

Nicole avait le tournis. Un bonheur sans nom venait d'exploser en elle. Garrett voulait l'épouser. Il voulait vivre auprès d'elle, s'impliquer dans une existence commune, partager ses joies, ses peines…

Elle n'osait croire qu'il venait de prononcer ces mots qu'elle avait perdu tout espoir d'entendre un jour de sa bouche.

— Garrett…

— J'ai ressenti une telle déception en apprenant que c'était Erin qui était enceinte et pas toi. Parce que tout à coup, il me semblait que le lien entre nous venait d'être rompu. Mais tu dois me donner une deuxième chance,

Nikki. Parce que je te jure que je vais te rendre aussi heureuse que tu mérites de l'être !

— Mais je…

— Les responsabilités qui nous attendent ne m'effraient plus, insista-t-il, comme s'il ne pouvait plus s'arrêter de lui ouvrir son cœur. Je les attends et je les espère. Car je t'aime. J'ai mis tant de temps à le comprendre !

Sa bouche se colla à la sienne, dans un baiser fiévreux, éperdu. Il lui embrassa les joues, le front, les cheveux, puis la serra contre lui à l'étouffer.

— Seigneur ! Etre séparé de toi a été une telle torture ! Mais je craignais de perdre ma liberté, de me retrouver piégé dans quelque chose qui échapperait totalement à mon contrôle. Puis j'ai compris ce qu'était la véritable peur en prenant conscience que j'allais perdre la seule personne auprès de qui je me sens libre. Toi, mon amour.

— Oh ! Garrett ! Tu ne m'as pas perdue. Je suis là et je t'appartiens. Sans toi, j'avais l'impression d'être morte à l'intérieur, mais… je revis maintenant ! Moi aussi j'avais peur, peur de risquer de nouveau mon cœur, peur d'être lâchée, abandonnée. Mais je sais maintenant que ma vie est à tes côtés.

— Je ne te laisserai jamais tomber, Nicole. Je te le jure, prononça-t-il gravement. Alors, acceptes-tu de devenir ma femme ?

— Oui, Garrett Carter. Rien ne me rendrait plus heureuse.

A travers ses larmes de joie, Nicole vit alors l'homme qu'elle aimait, solennel, sortir un petit écrin de sa poche ; il l'ouvrit et en sortit une bague en argent sertie de petits diamants, qu'il glissa à son doigt.

Ce n'était pas un garçon qui lui faisait une promesse vide de sens, ni un homme qui se lançait dans l'aventure du mariage sur un coup de tête. C'était Garrett. Et personne ne savait mieux que lui ce que signifiait l'engagement envers ceux qu'on aime.

Elle avait confiance en lui.

Soudain elle releva la tête comme une incongruité lui traversait l'esprit.

— Qu'as-tu dit ? Erin est enceinte ? George est encore en vie ?

Garrett se mit à rire doucement.

— Oui, dit-il en l'enlaçant. Tout va bien, ils vont se marier eux aussi, et je suis très heureux pour eux. Mais pour le moment, je ne veux penser qu'à nous. Je ne savais pas si tu accepterais de m'épouser ; j'avais très peur que tu refuses, mais comme je suis un grand optimiste quand même, j'ai acheté deux billets d'avion pour Las Vegas. Le vol décolle ce soir et il faut nous dépêcher. Nous allons peut-être manquer le coucher de soleil ici, mais lorsqu'il se couchera demain, tu porteras mon nom.

— Garrett, je t'aime ! chuchota-t-elle passionnément.

Le sourire de l'homme de sa vie était le gage de sa sincérité, de la promesse qu'il venait de lui faire, en laquelle elle croyait de toutes ses forces, et de l'avenir merveilleux qui se profilait devant eux.

— Moi aussi, je t'aime, Nicole, répondit-il avant de l'embrasser.

EMMA DARCY

Un aveu impossible

collection *Azur*

éditions HARLEQUIN

*Cet ouvrage a été publié en langue anglaise
sous le titre :*
THE BILLIONAIRE'S CAPTIVE BRIDE

Traduction française de
JEAN-BAPTISTE ANDRE

Ce roman a déjà été publié en octobre 2008

1.

Peter Ramsey vit la jeune femme qui faisait la circulation brandir un panneau « STOP », et il ralentit pour s'arrêter au passage clouté. Sous la surveillance de leur institutrice, une petite tribu de bambins attendait de pouvoir traverser, sagement alignée le long du trottoir. Tous portaient une boîte en carton contenant leur déjeuner. Peter en déduisit qu'ils se rendaient au parc qui se trouvait juste de l'autre côté de la rue.

Belle journée pour un pique-nique, songea-t-il, souriant à la vue des enfants.

— Jolie voiture !

Le commentaire le prit par surprise, et il s'aperçut que la fille qui faisait la circulation le dévisageait en souriant. Il y avait une lueur vaguement taquine dans son regard, et il aurait juré pouvoir lire dans ses pensées. « Un macho en coupé BMW Z4 arrêté par une bande de gosses ». La situation l'amusait, il en aurait mis la main au feu, et il ne put retenir un sourire en retour. « Ça ne me dérange pas, ma jolie ! »

Elle pivota pour guider la petite troupe, et Peter leva un sourcil appréciateur. Elle avait du chien. Et c'était une sacrée belle fille. Son jean moulait des fesses rondes et des jambes longues, comme il les aimait. Elle était également assez grande pour un homme tel que lui. Son haut révélait une taille fine et des seins parfaitement proportionnés, ni trop gros ni trop petits. Un vrai plaisir à regarder.

Même la simple queue-de-cheval qui retenait ses cheveux noirs avait quelque chose de sexy. Elle se balançait de droite et de gauche, tandis qu'elle faisait traverser les enfants, révélant un cou fin et gracieux. Et son visage… Ah, c'était un visage charmant ! Elle avait le nez légèrement retroussé, la peau éclatante de santé, et ne portait en guise de maquillage qu'un peu de rouge à lèvres qui soulignait la sensualité de sa bouche.

Cette fille n'avait rien d'artificiel. C'était une beauté naturelle. Une vraie rareté. Quant à son âge… Vingt-cinq ans peut-être ? Il n'aurait su le dire.

Le dernier des enfants, un petit garçon, la prit par la main et l'entraîna avec un air important, comme s'il venait de décrocher le gros lot. « Je te comprends », songea Peter. La fille était donc sûrement une institutrice, elle aussi, et non une employée de la voirie comme il l'avait d'abord cru.

Elle se tourna pour le regarder une nouvelle fois et agita son panneau en guise de remerciement pour sa patience, accompagnant son geste de ce même sourire gentiment moqueur. Il y répondit d'un signe de la main, tandis qu'un étrange sentiment de satisfaction s'emparait de lui. Il la suivit un instant des yeux, la vit entrer dans le parc et fut pris d'un soudain désir de l'y accompagner.

Derrière lui, une voiture klaxonna.

— Ça va, ça va…

Il redémarra à contrecœur, songeant qu'il s'agissait d'une impulsion ridicule. Qu'avait-il en commun avec une institutrice ?

Il se rappela avec amusement que la princesse Diana avait travaillé avec des enfants avant d'épouser le prince Charles. Certes, le mariage n'avait pas été des plus heureux, mais Diana était devenue la Princesse du peuple. Elle avait su toucher les cœurs…

144

Quelle femme, en revanche, avait réussi à toucher *son* cœur au cours des dernières années ? Peter Ramsey, le célibataire le plus en vue de Sydney, l'homme d'affaires milliardaire, savait qu'il n'avait en général que l'embarras du choix avec le sexe opposé. Et c'était formidable pour sa vie sexuelle. Mais les sentiments là-dedans ? Aucune de ses conquêtes n'avait duré plus de quelques mois.

Peut-être était-ce sa faute, après tout. Peut-être était-il devenu trop cynique, trop méfiant. Mais il savait fort bien qu'il était une proie de choix pour toutes les croqueuses de diamants d'Australie et d'ailleurs.

Même la fille à la queue-de-cheval… Peut-être ne lui avait-elle souri qu'à cause de la voiture qu'il conduisait ?

Quoi qu'il en soit, elle avait un très beau sourire.

Un sourire qu'il avait envie de revoir.

« Eh bien va donc le revoir », fit une petite voix en lui. « Tu as le temps ».

Après Alicia Hemmings, son ex — passée maîtresse dans l'art de la manipulation et du mensonge —, il serait rafraîchissant de faire la connaissance d'une femme dénuée de tout artifice. Surtout au lit.

Tout en se fustigeant mentalement pour ce qui n'était et ne resterait sans doute qu'un fantasme, Peter tourna à gauche à l'intersection suivante, repéra une place de parking et s'y gara. D'une pression sur un bouton, il remonta la capote et, afin de ne pas être identifié comme le conducteur de la BMW, se débarrassa de ses lunettes de soleil, de sa veste et de sa cravate, ouvrit les premiers boutons de sa chemise et vissa sur sa tête une vieille casquette de base-ball qui traînait dans son coffre.

Puis il traversa la rue et pénétra dans le parc. Il savait qu'il serait peut-être reconnu étant donné son omniprésence — souvent involontaire — dans les médias. D'un autre côté, il était également possible que personne ne lui prête attention dans un cadre aussi anodin.

Et puis, ce n'était pas comme s'il comptait se présenter

à la jeune femme. Il avait agi sur un coup de tête, mais il n'avait pas l'intention de faire autre chose que de simplement revoir cette fille. Quelque chose en elle était… différent. Et il voulait comprendre quoi.

Un kiosque opportunément situé près de l'entrée lui permit de s'acheter un sandwich et un soda qu'il emporta dans le parc. Il ressemblerait ainsi à n'importe quel employé de bureau venu déjeuner en plein air. Il y avait quelque chose d'excitant, de nouveau dans ce petit jeu, dans le fait de prétendre qu'il était quelqu'un d'autre. Il s'amusait, et cela ne lui arrivait pas souvent !

Il retrouva bien vite la petite troupe d'enfants assise sur une pelouse, sous l'ombre bienfaisante que dispensait un figuier géant. Tous étaient pendus aux lèvres de la fille à la queue-de-cheval, qui leur racontait une histoire. Peter s'installa sur un banc non loin de là, d'où il pouvait voir et entendre à loisir.

Le visage de la jolie brune était animé. C'était un plaisir à regarder. Sa voix mélodieuse montait et descendait au gré des rimes d'un conte à propos d'une princesse venue du Pays de Toujours sur un arc-en-ciel magique pour apporter le bonheur à tous les enfants du monde.

Bien sûr, il y avait un méchant dans l'histoire, un rat qui, sous l'apparence d'un enfant tout de noir vêtu, œuvrait à chasser la princesse. Mais un autre petit garçon parvenait à déjouer la machination en poussant un grand rugissement de lion, et ramenait la princesse du Pays de Toujours.

Une histoire classique. La victoire du bien sur le mal. Mais Peter ne pouvait s'empêcher d'être captivé par le talent de la narratrice. Et il n'était pas le seul : les enfants se joignaient à elle par moments, ayant visiblement appris le texte à l'école. Peter se promit de chercher le livre dont le conte était tiré et de l'offrir dès que possible à son neveu.

Une fois l'histoire finie, les enfants applaudirent,

bondirent sur leurs pieds et formèrent une ronde. Il y eut une petite échauffourée pour savoir qui tiendrait les mains de la conteuse, une délibération difficile qui ne fut résolue que par l'intervention de l'autre institutrice.

— Tu pourrais peut-être te mettre au milieu de la ronde, Erin. Tu serais la princesse.

« Erin… »

Joli nom, songea Peter avec approbation.

Et elle était douée avec les enfants, qui l'adoraient visiblement.

Il se sentait très attiré par cette fille, et pas seulement d'un point de vue sexuel, même si son sex-appeal semblait grandir de minute en minute. Il s'imagina au lit avec elle, Erin lui contant des histoires érotiques… telle Schéhérazade envoûtant son sultan par le son de sa voix…

Oui, l'idée lui plaisait.

Cela lui plaisait même énormément…

La question à résoudre était la suivante : comment rencontrer la princesse Erin ?

Pour commencer, elle était peut-être mariée, ou amoureuse de quelqu'un. Mais Peter s'en moquait, en cet instant, et il se concentra sur la tactique à adopter pour faire sa connaissance.

Son ami Damien Wynter, qui était devenu son beau-frère, lui aurait dit de foncer. Lorsqu'il avait rencontré la sœur de Peter, lui n'avait pas hésité une seconde. Charlotte avait été instantanément séduite et avait aussitôt rompu avec le bellâtre qui essayait depuis des mois de lui passer la bague au doigt… et d'accéder ainsi à la fortune des Ramsey. Bon débarras.

Peter se rappelait avoir demandé à son ami comment il avait su que Charlotte était la bonne, la perle rare. La réponse de Damien s'était gravée dans son esprit.

— Une petite voix en toi te dit de ne pas passer à

côté d'une telle chance. Que c'est peut-être celle que tu as attendue toute ta vie.

Etait-ce ce que son instinct lui soufflait, en cet instant ? Qu'Erin était la femme de sa vie ?

Un sourire de dérision apparut sur ses lèvres. Peter avait assez d'expérience pour savoir que le désir sexuel pouvait parfois prendre des atours trompeurs. Mais il savait qu'il serait stupide de ne pas ouvrir cette porte qui était apparue devant lui. Il voulait savoir où elle conduisait, et si ce qu'il y avait derrière était différent de ce qu'il avait connu, aussi improbable que ce soit…

— Eh !

Le cri d'alarme que poussa l'institutrice la plus âgée le tira de ses réflexions, juste à temps pour voir un homme foncer sur le cercle des enfants et agripper un petit garçon, qu'il prit dans ses bras et serra furieusement contre lui.

— C'est mon fils ! cria-t-il à l'intention des deux femmes qui convergeaient vers lui.

L'homme recula, évoquant un animal pris au piège, les yeux passant fébrilement d'une institutrice à l'autre. Il y eut un échange de cris, de protestations, d'avertissements. Les autres enfants s'agitèrent et certains se mirent à pleurer, effrayés par la tension qu'ils sentaient monter.

Peter bondit sur ses pieds et saisit la fin de l'échange comme il contournait le figuier pour intervenir.

— Je suis son père ! J'ai le droit d'emmener Thomas !

— Nous sommes responsables de lui, monsieur Harper. Sa mère nous l'a confié pour la journée et…

— Sa mère me l'a arraché ! C'est mon fils !

— C'est un sujet dont vous devez discuter avec elle.

— Elle refuse que je le voie et elle l'abandonne pour la journée à des gens qu'il ne connaît pas ! Qui ne sont rien pour lui ! Rien ! Moi, je suis son père !

— Nous allons devoir appeler la police si vous essayez d'emmener Thomas !

— Monsieur Harper, intervint Erin, ne faites pas de

bêtise. Aller en prison ne vous aidera pas à récupérer votre fils. Réfléchissez.

L'autre accueillit le conseil d'un rire haut perché, au bord de la crise de nerfs.

— Elle est belle, la justice ! Je n'ai rien fait de mal, mais je perds mon fils ! Et le tribunal le confie à ma femme ! Alors que c'est elle qui m'a trompé ! C'est elle qui a menti !

— Alors vous devez retourner en justice, insista Erin. Si vous êtes dans votre bon droit…

— Il n'y a pas de justice ! explosa le dénommé Harper, des larmes jaillissant du coin de ses yeux. Elle a menti à mon sujet à son requin d'avocat, et je n'ai aucune chance contre lui face à un tribunal ! Alors dites à ma femme qu'elle peut me prendre mon argent, mon honneur, mais pas mon fils ! Non… non… non…

L'homme sanglotait à présent à briser le cœur, reculant aveuglément comme Erin avançait sur lui.

— J'appelle la police ! dit l'autre institutrice, sortant son portable de son sac.

— Non ! intervint Peter.

Surgissant de derrière l'arbre, il posa une main impérieuse sur l'épaule du pauvre homme, l'arrêtant et le soutenant en même temps. Erin leva les yeux sur lui, visiblement déroutée.

— Qui êtes-vous ?

Elle avait les yeux verts.

D'un vert magnifique.

Peter se sentit presque obligé de répondre à toutes les questions qu'il lut dans ce regard. Mais il ne voulait pas utiliser le pouvoir de son nom. Pas avec elle.

— Je suis juste un homme qui déteste en voir un autre pleurer.

Il décocha un regard noir à l'institutrice qui avait sorti le téléphone et secoua la tête.

— Rangez ça. Je m'en occupe. Appeler la police n'arrangera rien.

— Je suis responsable de ces enfants ! protesta l'intéressée.

Bien plus vieille qu'Erin — elle devait avoir la cinquantaine, estima Peter — elle arborait un casque de cheveux gris coupés court qui, ajouté à sa silhouette gironde, lui donnait un air vaguement intimidant.

— Je réponds devant Mme Harper de tout ce qui peut arriver à Thomas, ajouta-t-elle.

— Rien ne va arriver à Thomas, rétorqua tranquillement Peter. M. Harper, ici présent, veut simplement parler quelques instants à son fils. Il n'y a rien de mal à cela.

— Il doit rendre Thomas, insista l'autre.

— Oui. Et j'y veillerai. Faites-moi confiance.

L'institutrice l'étudia rapidement, nota sa haute taille et son physique athlétique, et dut parvenir à la conclusion qu'effectivement il aurait aisément le dessus en cas de lutte avec Harper.

— Forcez-le à rendre l'enfant maintenant, ordonna-t-elle.

Mais Thomas noua ses bras autour du cou de son père.

— Non ! Je veux mon papa. Je n'aime pas quand il pleure. Ne pleure pas, papa…

Peter soupira. Arracher l'enfant à son père serait brutal et cruel. Il y avait des solutions plus douces à ce genre de crise.

— Je suggère que tout le monde se calme, dit-il. Je vais aller m'asseoir avec M. Harper sur ce banc, là-bas — Peter désigna le banc où il avait déjeuné —, et il va passer quelques instants avec Thomas. Pendant ce temps, vous n'avez qu'à occuper les autres enfants.

— Mais ils sont tous traumatisés par ce qui vient de se passer, protesta l'institutrice la plus âgée. Nous devrions les ramener à la maternelle pour leur sieste.

Bon, il n'avait pas d'aide à attendre d'elle. Aussi Peter se tourna-t-il vers Erin, qu'il surprit à le fixer attentivement de ses grands yeux verts. Une vague de désir le cueillit comme un crochet au creux de l'estomac, balayant tous les doutes qu'il entretenait encore quant à la jeune femme. Il avait envie d'elle, et il l'aurait !

Espérant qu'il ne s'était pas imaginé le frémissement de complicité qu'il avait senti naître entre eux, il se fendit de son plus beau sourire.

— Pourquoi ne raconteriez-vous pas une nouvelle histoire aux autres ? Vous êtes très douée pour ça. Je vous ai entendue pendant que je déjeunais. Je suis sûr que vous leur ferez oublier cet épisode en un rien de temps.

Erin eut un petit sourire en retour.

— Merci. Je crois que c'est une bonne idée.

— Je ne pense pas…, commença l'institutrice gironde, visiblement effrayée à l'idée de laisser la situation échapper à son contrôle.

— Tout va bien, Sarah. Je suis sûre que monsieur saura faire face à toute situation, répondit Erin avec un geste en direction de Peter.

« Pas d'alliance à la main gauche », nota-t-il. « Parfait. »

— Et, de plus, tu pourras toujours appeler la police si quelque chose tourne mal.

Peter retint un sourire triomphal à l'idée qu'Erin était de son côté. Que ce soit parce qu'il lui plaisait, ou parce qu'elle soutenait la cause des pères divorcés, il l'ignorait encore. Mais il comptait bien le découvrir ! En attendant, il était ravi que le destin lui ait envoyé un moyen d'entrer en contact avec elle.

— Je vais raconter une autre histoire aux enfants. Mais, après cela, nous devrons tous rentrer à l'école, Thomas y compris.

— Entendu. Oh, et il serait préférable que ce soit vous qui veniez le chercher. Il aura moins de mal à laisser son père pour partir avec une princesse.

Erin se tut. Une rougeur subite infusa sa peau laiteuse,

et Peter en fut instantanément charmé. Les femmes qu'il fréquentait ne rougissaient jamais.

Elle hocha la tête en signe d'assentiment, puis claqua des mains et rassembla de nouveau les enfants autour d'elle. La dénommée Sarah adressa un dernier regard réprobateur à Peter, et entreprit de l'aider. Elle répugnait visiblement à faire confiance à un parfait étranger, mais devait en même temps se rendre compte qu'appeler la police risquait de compliquer la situation...

Ravi d'avoir arrangé une deuxième entrevue avec Erin, Peter entraîna le père éploré et son fils vers son banc, les rassurant tout en marchant.

— Ecoutez, tout cela est très pénible. Mais voyons s'il n'y a pas moyen d'arranger tout cela.

Harper avançait tel un automate, à présent dépourvu de toute pugnacité. Il donnait l'image d'un homme à bout de patience, à bout de ressources, à bout d'espoir.

Il s'effondra plus qu'il ne s'assit sur le banc, serrant son fils dans ses bras, le berçant avec une ferveur presque désespérée.

Lorsqu'il retrouva enfin l'usage de sa voix, il tourna vers Peter un regard misérable.

— Ma femme a dit à son avocat que je battais mon fils. C'est faux. C'est faux ! Jamais je ne lèverais la main sur lui !

Peter le croyait sur parole. Thomas ne manifestait aucune frayeur en présence de son père, bien au contraire. Il était évident que ces deux-là s'adoraient.

— Un bon avocat devrait être capable de défendre vos intérêts.

L'autre eut un sourire amer.

— Je n'ai pas les moyens de m'en payer un. J'ai perdu mon travail. Avec tout ce qui s'est passé, je n'ai pas pu m'y consacrer pleinement.

— Quel est votre métier ?

— J'étais commercial.

152

— D'accord. Que diriez-vous si je vous trouvais un nouveau travail, ainsi qu'un avocat spécialisé dans les divorces et les problèmes de garde d'enfants ?

— Mais… pourquoi feriez-vous une chose pareille ? demanda l'homme en le dévisageant avec un mélange de stupeur et de méfiance. Vous ne me connaissez même pas !

La question força Peter à interroger ses propres motivations. Parce qu'il ne voulait pas voir un père séparé de son fils par une harpie sans scrupule ?

Ou parce que, aujourd'hui, il avait décidé d'agir sur des coups de tête ?

« Erin… »

Il savait très bien qu'en s'occupant de Thomas, il se donnait par là même un moyen de revoir la séduisante institutrice. Harper l'ignorait, mais il était une excuse rêvée pour faire plus ample connaissance avec elle.

Peter sourit, puis haussa les épaules et opta pour une réponse honnête.

— Je le fais parce que j'en ai les moyens. Et que je déteste l'injustice. Laissez-moi vous aider, et vous pourrez voir votre fils, croyez-moi.

— Vous me promettez beaucoup…

— Faites-moi confiance. Je tiens toujours mes promesses.

L'homme darda sur lui un regard incrédule, un regard qui *voulait* croire, avant de poser l'inévitable question…

— Mais qui êtes-vous ?

La même question qu'Erin avait posée.

Mais Peter savait qu'il devait y répondre, cette fois. Cela donnerait de la crédibilité à sa promesse. Avec un soupir, il tira donc son portefeuille de la poche arrière de son pantalon, l'ouvrit et montra à Harper son permis de conduire.

— Je suis Peter Ramsey.

Le choc qui apparut sur le visage de l'autre avait quelque chose de comique. Peter aurait presque pu visualiser les rouages qui se mettaient en marche dans son esprit tandis qu'il reconnaissait le visage si souvent étalé en pleine page, dans la presse financière aussi bien que dans les tabloïds.

— Mais… mais… qu'est-ce que vous faites là ?

La question pouvait paraître incongrue, mais Peter comprenait ce qu'il voulait dire. Que faisait-il seul dans un parc, sans l'entourage qui accompagnait en général la moindre de ses apparitions publiques ?

— Je prends juste un peu de bon temps, répondit-il avec un grand sourire. C'est votre jour de chance !

— Vous… vous êtes sincère ? Vous allez vraiment m'aider ?

— Oui. Si vous voulez, vous allez m'accompagner, après avoir laissé Thomas repartir à l'école, et nous allons arranger vos affaires. En attendant, je suggère que votre fils et vous profitiez de ces quelques minutes pour rattraper le temps perdu.

Visiblement ému, Harper lui tendit une main qui tremblait légèrement.

— C'est vraiment généreux de votre part, M. Ramsey.

— C'est la moindre des choses, répondit Peter en lui retournant sa poignée de main.

— Je m'appelle Dave. Dave Harper.

— Enchanté, Dave.

Puis Peter se leva et s'éloigna de quelques pas pour lui accorder un peu d'intimité avec Thomas. Les sourires qu'ils échangeaient faisaient plaisir à voir et, le cœur soudain léger, il reporta son attention sur Erin.

De nouveau, elle racontait une histoire aux enfants, qui paraissaient tout aussi captivés que précédemment. Ils avaient déjà oublié Thomas et son père.

Affaire réglée, songea Peter en se frottant les mains. A ceci près que l'autre institutrice, Sarah, se sentirait sans doute obligée de rapporter ce qui s'était passé à la mère de Thomas. Et cela n'allait pas arranger les affaires de

Dave. Même si un enlèvement avait été évité, la situation pouvait être utilisée contre lui.

Peter savait que son nom lui permettait de faire presque tout ce qu'il désirait. Il l'utiliserait donc pour convaincre Sarah de garder le silence sur les événements de la journée. Nul doute qu'elle serait assez impressionnée pour accéder à sa requête.

Le problème, c'était que cela romprait son anonymat auprès d'Erin. Si elle lui retournait son intérêt, il ne pourrait désormais plus savoir si c'était pour l'homme qu'il était ou pour le nom qu'il portait.

Son nom… Toujours ce fichu nom…

Mais peu importait, décida-t-il soudain. Après tout, si elle cédait à ses avances, c'était tout ce qui comptait !

2.

bouch

ceux qu

potent m

d'autre

bouch

Le p

auxq

couran

jetant

Quel homme intrigant…

Une partie de l'esprit d'Erin ne pouvait s'empêcher de penser à lui tandis que, conformément à sa suggestion, elle s'employait à raconter une seconde histoire aux enfants.

C'était un homme qui en imposait dans tous les sens du terme. Physiquement avant tout, mais aussi par son autorité naturelle, son charisme, l'aura de puissance contenue qui se dégageait de lui.

Il semblait à Erin que ses hormones bondissaient en tous sens en réponse à sa présence. Si elle était une princesse, alors il ferait un parfait Prince charmant !

Elle l'avait aperçu qui marchait dans le parc quelques instants plus tôt, et l'avait instinctivement suivi des yeux. Lorsqu'elle l'avait vu s'asseoir non loin d'elle, elle n'avait pu résister à l'envie de briller et avait mis dans son récit aux enfants bien plus de fioritures oratoires qu'à son habitude. C'était d'autant plus ridicule qu'elle n'avait aucune chance d'entrer en contact avec un parfait étranger, monopolisée comme elle l'était par toute une classe de maternelle. Mais elle n'avait pas pu s'en empêcher.

Puis il y avait eu cet incident extraordinaire impliquant le père de Thomas. En règle générale, les gens prenaient bien soin de ne pas se mêler de ce qui ne les regardait pas, mais l'étranger n'avait pas hésité un instant à intervenir. Il avait facilement pris le contrôle d'une situation de crise et l'avait désamorcée, avec douceur, et dans l'intérêt de tous. C'était visiblement un homme habitué à prendre des décisions rapides, et à faire face à des enjeux importants.

Il avait même réussi à soumettre Sarah à son autorité, et c'était peut-être le plus étonnant ! Le père de Thomas l'avait en tout cas échappé belle, grâce à l'intervention de l'étranger, car un séjour en prison n'aurait pas aidé sa cause devant les tribunaux. Erin plaignait le pauvre Harper, abandonné par sa femme et séparé brutalement de son fils. La situation était à l'évidence très douloureuse pour lui.

Si Sarah avait renoncé à ses manières quelque peu autocratiques, elle n'avait pas pour autant cessé de se faire du souci. Car sitôt qu'Erin eut terminé son histoire, elle demanda nerveusement aux bambins de se mettre à la queue leu leu pour se préparer à rentrer à la maternelle. Elle prit ensuite le panneau « Stop » elle-même et ordonna :

— Va chercher Thomas, maintenant. Et ne te laisse surtout pas intimider par le type qui est intervenu, ajouta-t-elle sévèrement. Mme Harper pourrait très bien nous poursuivre pour négligence.

— Je suis sûre que tout va bien se passer. Il a donné sa parole que M. Harper nous rendrait Thomas.

— Ta mère ne t'a donc pas appris à ne pas faire confiance à quelqu'un que tu ne connais pas ? grommela Sarah.

« Elle m'a appris à juger un homme d'après ses actions », songea Erin en s'approchant du banc. Et cet homme-là lui inspirait confiance. Avec ses épais cheveux blonds, sa carrure athlétique et sa mâchoire carrée, il lui évoquait un héros viking tombé du ciel pour les secourir. A n'en pas douter, elle pourrait l'utiliser dans une prochaine histoire…

Adossé à un arbre, il se tenait légèrement à l'écart du banc où Harper et son fils riaient et conversaient passionnément. Erin s'approcha de lui, sentant les battements de son cœur s'accélérer à mesure qu'elle progressait. Il y avait quelque chose de captivant, presque d'hypnotique, dans les yeux bleus qui surveillaient son approche. C'était comme si un faisceau laser la transperçait, la déshabillait, allait fouiller jusqu'au plus profond de son être pour mettre au jour ses fantasmes et ses désirs les plus secrets.

Elle ralentit inconsciemment l'allure, des picotements courant le long de sa peau. Sa vie de globe-trotter lui avait permis de rencontrer beaucoup d'hommes différents. Son métier également. Mais aucun, absolument aucun, n'avait eu cet effet sur elle.

— Il est temps d'y aller, annonça-t-elle, même si tout son être lui criait le contraire.

— Pas de problème. Vous vous appelez Erin, c'est ça ?

— Oui.

Elle hésita, se demandant s'il allait reconnaître son nom de plume, et ajouta :

— Erin Lavelle.

— Lavelle, répéta-t-il comme s'il goûtait son nom.

Mais elle vit bien que cela n'éveillait rien en lui. Il ne la connaissait pas. C'était un homme plus vraisemblablement porté sur l'action que sur les livres. A croire qu'ils habitaient deux univers différents qui venaient de se croiser, l'espace d'un instant, par une belle journée d'été…

Il lui décocha un sourire éclatant, qui rappela à Erin le conducteur de la BMW. Mais était-ce le même homme ? Non, probablement pas. La coïncidence serait trop extraordinaire.

— Sarah est la directrice de la maternelle ? demanda-t-il.

— Oui. Sarah Deering. C'est ma tante.

Pourquoi lui avait-elle fourni cette information ? Elle n'en avait aucune idée. Cela n'avait aucun intérêt.

— Et je suppose que votre tante va tenir à faire un rapport à la mère de Thomas ?

Erin acquiesça.

— Oui. Je crois qu'elle veut se couvrir au cas où le problème se reproduirait. Elle ne peut pas ne pas le signaler.

L'homme opina à son tour, plongea la main dans sa poche arrière et en tira une carte de visite qu'il lui tendit.

— Dites à votre tante que je compte bien aider Dave Harper par tous les moyens, et mettre mes propres avocats à contribution.

Ses yeux bleus se firent plus durs comme il ajoutait :

— Assurez-vous que votre tante transmette cette information à la mère de Thomas.

Apparemment, il ne plaisantait pas. Qui qu'il soit, c'était un homme déterminé. Et, à en juger par son assurance crâne, un homme qui devait avoir les moyens de sa détermination. Baissant les yeux sur la carte, le cœur battant, elle lut le nom qui y était inscrit.

Peter Ramsey.

Non, cela ne lui disait rien. Fronçant les sourcils, elle regarda une nouvelle fois son vis-à-vis.

— Qui êtes-vous ? Pourquoi pensez-vous que cela aura un effet sur la mère de Thomas ?

Les yeux bleus trahirent d'abord de la surprise, puis un franc amusement.

— Montrez juste la carte à votre tante, Erin. Elle a le don d'influencer les gens, croyez-moi.

— Désolée, je ne suis jamais très au courant de l'actualité, dit la jeune femme en soupirant.

— Et c'est charmant. Puis-je vous demander une faveur ?

— Essayez, murmura-t-elle, quelque peu déroutée par le genre de faveur qui lui vint aussitôt à l'esprit, et qu'elle n'aurait pas rechigné à lui accorder.

— Pourriez-vous m'appeler après le départ de Mme Harper ? Mon numéro de portable est sur la carte.

Un frisson d'excitation la parcourut. Ils allaient donc se parler de nouveau !

— Pour que je vous dise comment ça s'est passé ?

— Oui. Je suis curieux de savoir comment la mère va réagir aux événements de cet après-midi. La vérité a tendance à être quelque peu maltraitée dans un divorce, et ce sont souvent les enfants qui en souffrent.

Erin, dont les parents étaient divorcés, acquiesça avec conviction.

— Vous avez tout à fait raison.

— Alors, c'est d'accord ? Vous m'appellerez ?

— Je n'y manquerai pas, lui promit-elle.

Elle se moquait bien de savoir, en cet instant, s'il était approprié qu'elle le fasse ou non. Seule comptait la perspective de lui reparler. Peut-être même, si elle était chanceuse, de le revoir ?

— Parfait !

Avec un sourire satisfait, Peter Ramsey se tourna vers Dave Harper et son fils.

— Thomas doit y aller, Dave. Erin va le ramener à l'école.

L'autre acquiesça sans faire d'histoire. Il paraissait transformé, nota Erin.

— Je suis vraiment désolé de la frayeur que j'ai pu causer, dit-il en donnant à la jeune femme la main du petit garçon.

— Je suis sûre que tout va s'arranger, monsieur Harper. Tu viens, Thomas ?

Elle l'entraîna vers les autres enfants, qui attendaient toujours sagement en file sous le regard impatient de Sarah. Elle savait que Peter Ramsey la suivait des yeux, et cela la rendait presque douloureusement consciente de tout son corps. De façon instinctive, Erin redressa la tête, se cambra légèrement et fit de son mieux pour arborer une démarche sexy. Ou du moins l'idée qu'elle se faisait d'une démarche sexy, à savoir un léger balancement des hanches qui, elle l'espérait, mettait en valeur ses fesses…

Seigneur, mais d'où lui venaient de telles idées ? Elle ne

se reconnaissait pas. Cet homme avait de toute évidence un bien étrange effet sur elle !

La maternelle était à quelques minutes à peine et, une fois de retour, Erin aida sa tante à préparer les enfants pour leur sieste. Elle avait prévu de rentrer chez elle juste après, une fois son contrat rempli. Un après-midi avec Erin Lavelle était une publicité idéale pour l'école, tout comme l'était d'ailleurs son lien de parenté avec Sarah. Cependant, l'étonnante rencontre du parc imposait un changement de plan.

Après avoir pris la précaution de recopier les numéros de Peter Ramsey dans un carnet qu'elle transportait toujours avec elle, Erin se rendit dans le bureau de sa tante et la trouva assise devant une tasse de café frais. Leur aventure l'avait éprouvée, et elle avait l'air d'avoir besoin d'une bonne dose de caféine pour se remettre.

— Ça aurait pu mal tourner, dit-elle sitôt qu'elle vit Erin. Très mal tourner. Merci de m'avoir aidée, en tout cas. Je ne sais pas comment j'aurais fait sans toi…

Sarah secoua la tête comme elle revivait mentalement la scène, et poussa un profond soupir.

— Les enfants auraient pu paniquer…

— C'est ce Peter Ramsey que tu devrais remercier. Grâce à lui, tout est bien qui finit bien.

Sa tante tressaillit et sortit subitement de sa torpeur angoissée.

— Qui ? Quel nom as-tu dit ?

— Peter Ramsey. L'homme qui nous a aidées. Il m'a donné ça.

Erin lui montra la carte de visite et cala une fesse sur le bureau avant de reprendre :

— Il a conseillé de mentionner son nom devant Mme Harper au cas où elle ferait des problèmes.

Sarah prit la carte et l'étudia avec des yeux ronds, comme si elle peinait à croire ce qu'elle voyait. Erin profita de son silence pour lui transmettre la fin du message que Peter lui avait confié.

— Il m'a aussi assurée qu'il aiderait M. Harper à résoudre sa situation, et qu'il mettrait ses propres avocats sur l'affaire. L'incident de cet après-midi ne devrait donc pas se reproduire.

— Peter Ramsey, murmura sa tante d'une voix emplie d'un mélange de stupeur et de respect.

Elle louchait presque lorsqu'elle leva les yeux, à force d'avoir fixé la carte, et Erin étouffa un petit rire en avisant sa mine ahurie.

— J'aurais dû le reconnaître, reprit Sarah. Mais que faisait-il dans ce parc ?

— Je ne sais pas, mais pourquoi dis-tu que tu aurais dû le reconnaître ?

— Peter Ramsey ? *Peter Ramsey* !

Avisant l'expression d'incompréhension d'Erin, sa tante eut un geste d'impatience.

— Ne me dis pas que tu n'as jamais entendu parler de lui !

— Non, jamais.

— Erin, voyons, il est connu comme le loup blanc. C'est le fils de Lloyd Ramsey.

Cette révélation porta un coup dur aux fantasmes d'Erin.

— Tu veux dire… le milliardaire Lloyd Ramsey ?

— Oui, c'est ça, confirma Sarah.

Erin regarda sa tante avec stupéfaction. Lloyd Ramsey était presque une légende vivante en Australie, et même Erin avait entendu parler de lui depuis le petit monde peuplé de livres dans lequel elle vivait. Lloyd Ramsey avait fondé un véritable empire industriel et financier et avait dévoré bien d'autres entreprises au cours de son ascension impitoyable, ce qui lui avait valu le sobriquet fort peu affectueux du « Requin ».

Cependant, à en juger par la réaction de Sarah, son fils n'avait rien à lui envier, et devait s'être fait un prénom.

Peter Ramsey lui parut soudain complètement hors de portée, et un sentiment d'abattement lui tomba sur les épaules.

— Son fils est un homme d'affaires, lui aussi ?

— Oui. Actif Surtout sur la scène internationale. Spécialisé dans les hautes technologies. Je ne suis pas ça de près, mais je vois souvent sa photo dans les pages mondaines. Il est tout le temps entouré de célébrités. Chaque fois qu'il change de compagne, la presse en fait ses choux gras.

Erin sentit son moral décrocher et plonger plus bas encore.

— En d'autres termes… c'est un play-boy ?

Le macho au volant de la BMW lui revint tout à coup à l'esprit. Se pouvait-il que ce soit le même homme, après tout ?

Sa tante eut un haussement d'épaules.

— Si l'on veut. Il faut dire qu'il est encore jeune. Il n'a pas dû trouver chaussure à son pied. Même si, évidemment, un type tel que lui doit avoir l'embarras du choix.

Oui, évidemment… L'excitation d'Erin retomba tout à fait. La possibilité que Peter Ramsey soit son Prince charmant paraissait soudain bien faible…

Certes, elle avait senti naître une complicité entre eux. Mais cette empathie n'était peut-être due qu'à une compassion commune pour le sort du pauvre Dave Harper. A laquelle s'ajoutait, bien sûr, la réponse instinctive d'Erin à son sex-appeal.

— Pourquoi crois-tu qu'il soit intervenu dans cette histoire ? demanda-t-elle à sa tante, soucieuse d'en apprendre le plus possible sur le milliardaire.

— Je ne sais pas… Il a peut-être entendu M. Harper se plaindre d'avoir été dépouillé par sa femme. Ça a pu faire tilt en lui.

— Pourquoi ? Il lui est arrivé la même chose ?

Sarah s'adossa de nouveau à sa chaise, mains croisées sous son menton, un sourire vaguement cynique aux lèvres.

— Non, pas que je sache. Mais, lorsque l'on est à la tête d'une telle fortune, ça doit être un risque de tous les instants. Rappelle-toi ce qui est arrivé à sa sœur.

— Je n'ai pas la moindre idée de ce qui est arrivé à sa sœur.

Sa tante leva les yeux au ciel.

— Tu ne cesseras jamais de m'étonner. L'histoire a été dans tous les journaux pendant des semaines.

— Quand donc ?

— Oh, ça doit bien faire… trois ans maintenant ?

Erin se frotta le menton, songeuse.

— Voyons… Je devais être en Asie à l'époque.

— Bien sûr. Tu es toujours partie quelque part. Tu ne pourrais pas faire comme tout le monde et rester à la maison ?

« Quelle maison » ? songea aussitôt Erin dans un accès d'amertume. Sa mère s'était remariée et, dans la villa qu'elle avait achetée avec son nouveau mari, il n'y avait pas de chambre pour sa fille. Quant à son père, une ou deux heures avec lui étaient en général suffisantes pour épuiser tout ce qu'ils avaient à se dire.

Erin s'était bien acheté une maison à elle à Byron Bay, mais la considérait davantage comme un lieu pour écrire, loin du bruit du monde. Sa principale qualité, l'isolement, était aussi son principal défaut. Ce n'était pas vraiment un foyer au sens où Sarah l'entendait.

— Alors, qu'est-il arrivé à la sœur de Peter Ramsey ? interrogea-t-elle.

— Un énorme scandale. Charlotte Ramsey était sur le point d'épouser un type, mais, juste avant le mariage, celui-ci a refusé de signer le contrat prénuptial préparé par Lloyd Ramsey. Charlotte n'a fait ni une ni deux et a rompu avec lui. Quelque mois plus tard, à la surprise de tous, elle a épousé le milliardaire britannique Damien

Wynter. Son ex-fiancé a voulu la traîner en justice pour obtenir l'appartement qu'ils partageaient, et qui, bien entendu, appartenait à Charlotte. Mais elle le lui a abandonné sans sourciller.

— Si je comprends bien, son ex-fiancé n'en voulait qu'à sa fortune.

— Exactement. Ça arrive souvent, dans ces milieux.

— Au moins, elle ne risquait plus d'avoir ce problème en épousant un autre milliardaire. Je me demande si elle est heureuse avec lui.

— Erin, tes histoires ont peut-être des fins heureuses, mais il n'y a aucun moyen de le garantir, dans la vie. C'est dommage, mais c'est comme ça.

— En parlant de fin heureuse, Peter Ramsey semble bien décidé à aider Thomas et son père. Ça te dérange si je reste encore un peu ? J'aimerais savoir comment Mme Harper va prendre la nouvelle.

Sarah lui décocha aussitôt un regard dubitatif.

— Pourquoi est-ce que ça t'intéresse tant ?

— Je suis curieuse de voir si un nom peut avoir autant de pouvoir que tu le prétends.

— Elle ne viendra pas chercher Thomas avant 5 heures.

— Pas de problème. J'irai faire un tour en attendant.

— Hmm… Ce ne serait sans doute pas une mauvaise idée d'avoir un témoin à cet entretien…

— Absolument ! fit Erin, bondissant sur ses pieds avant que sa tante ne change d'avis. A tout à l'heure alors !

Elle n'alla pas loin. Ses pieds la ramenèrent au banc que Peter Ramsey avait occupé, et elle s'assit exactement au même endroit que lui, l'esprit en ébullition.

Malgré sa réputation de play-boy, il s'était comporté tout autrement avec elle. Il lui avait au contraire semblé sérieux et compatissant, même si ces deux qualités avaient été essentiellement destinées à Dave Harper et à son fils.

Peut-être se comportait-il de manière très différente avec les femmes. Mais Erin était bien trop intriguée pour ne pas chercher à en savoir plus sur son compte. Et puis, elle lui avait promis de lui rapporter la réaction de Mme Harper.

Si elle s'était imaginé l'intérêt que Peter Ramsey lui portait, il la remercierait et s'en tiendrait là. Dans le cas contraire, il essaierait sûrement de la revoir.

Que devrait-elle faire, alors ?

Accepter, bien sûr. Car combien de fois dans sa vie avait-elle rencontré un homme qui lui faisait ressentir cela ?

La réponse était simple : jamais !

« Cueille le jour », songea-t-elle.

Oui, elle accepterait de le revoir. Du moins, si Peter Ramsey lui en donnait l'occasion.

3.

— Peter Ramsey.

La voix résonnait d'un mélange d'autorité et d'assurance, et semblait envoyer un silencieux message : « Ne me faites pas perdre mon temps. »

Erin prit une inspiration pour calmer ses nerfs. « Parle », se morigéna-t-elle. « Vas-y, c'est le moment ! »

— Bonjour, c'est Erin Lavelle à l'appareil !

Les mots avaient franchi ses lèvres en un flot précipité, un peu haletant. Elle s'en serait tapé la tête contre les murs.

— Je vous aurais reconnue. Vous avez une voix très particulière.

Erin eut l'impression, au son de la remarque, qu'il souriait au bout du fil. Ce devait donc être un compliment !

Elle rougit de plaisir, sentant l'espoir renaître au plus profond d'elle-même.

— Vous m'avez demandé de vous appeler, lui rappela-t-elle.

— J'ai cru que vous ne le feriez jamais. Je suis ravi de vous entendre.

Ravi ? Il était *ravi* ? Un sourire béat se dessina sur les lèvres d'Erin.

— Je suis désolée. Mme Harper n'est venue chercher Thomas qu'à 5 heures. Elle vient tout juste de partir.

— Ah ! Vous devez avoir plein de choses à me raconter, alors. Je veux tout savoir. Que diriez-vous de dîner ensemble, ce soir ? J'ai passé la majeure partie de l'après-midi avec Dave Harper et mes avocats. J'aimerais avoir votre point de vue sur sa femme.

— Dîner ? répéta-t-elle, un peu abasourdie.

L'invitation était si rapide et si inattendue que la tête lui tournait.

— Quoi qu'on ait pu vous dire depuis notre rencontre dans le parc, je vous promets que je ne suis pas le grand méchant loup, et que je ne vais pas vous manger toute crue, enchaîna le milliardaire comme elle ne répondait pas.

Erin partit d'un rire un peu forcé. L'idée d'être mangée toute crue par Peter Ramsey n'était pas pour lui déplaire…

— Non, bien sûr ! Euh… où et quand ? renchérit-elle, tentant désespérément de se raccrocher à des considérations pratiques.

— Où vous voulez, quand vous voulez.

Erin déglutit. S'était-elle imaginé le sous-entendu ? Bon sang, elle devait se ressaisir.

Peut-être la testait-il. Peut-être allait-il se faire une opinion d'elle d'après son choix. Nul doute qu'une femme intéressée par sa fortune se serait fait inviter dans un grand restaurant.

Erin décida donc de jouer la carte contraire. Elle savait, de plus, qu'elle se sentirait plus à l'aise sur son propre terrain. Un cadre trop formel ne ferait que l'intimider davantage.

— Ça ne vous dérange pas si je choisis un endroit un peu… spartiate ?

— Aucun problème. Je préfère ça, pour tout vous dire.

Parfait. Il n'avait donc pas besoin de flatter son propre ego en paradant dans les derniers lieux à la mode.

— Vous aimez la cuisine thaïlandaise ?

— Ça me va très bien.

Décidément, il était accommodant. Le cœur palpitant, Erin lui donna les indications pour se rendre au restaurant qu'elle avait en tête.

— Alors retrouvons-nous au Titanic Thaï, sur Oxford

Street, entre la fin de Hyde Park et Taylor Square. Disons à 19 h 30 ? Je vous préviens, c'est tout petit.

— Dois-je réserver une table ?

— Non. Je passerai le faire en rentrant.

— Vous habitez à côté ?

— Plus ou moins, répondit-elle vaguement, désireuse de ne pas trop lui en révéler à ce stade. A ce soir alors ?

— A ce soir, 19 h 30, Oxford Street, restaurant thaïlandais, c'est tout petit, reprit-il avec amusement.

— C'est ça ! A tout à l'heure !

Elle raccrocha, envahie d'un intense sentiment de satisfaction. Les événements s'étaient précipités, mais elle était parvenue à garder un certain contrôle sur la situation.

Restait maintenant à se retenir de se précipiter à l'arrêt de bus le plus proche…

Bingo !

Peter leva les deux poings en l'air en signe de triomphe.

Puis il se mit à rire de lui-même, amusé d'être aussi excité par la perspective de dîner avec une femme dont la vie était si éloignée de la sienne. Il y avait fort à parier qu'ils n'avaient rien en commun, si ce n'est leur souci d'aider Dave Harper et son fils.

Mais cela ne diminuait en rien son enthousiasme. Il était bien décidé à aller à ce rendez-vous sans s'embarrasser de préjugés, de doutes, de questions. Sa journée avait été placée sous le signe de l'impulsivité et de l'improvisation, depuis qu'il s'était arrêté à ce passage clouté, et il comptait bien continuer ainsi. Et puis, Erin avait eu le bon goût de ne pas choisir l'un des restaurants huppés de Sydney. La soirée n'en serait que plus informelle et décontractée.

— Titanic Thaï, me voilà ! s'exclama-t-il à voix haute,

montant quatre à quatre les marches qui menaient à sa chambre, au premier étage du duplex qu'il occupait à Bondi Beach.

Il avait juste le temps de se doucher, de se raser, de se changer et d'aller repérer les lieux.

Ce soir, il allait conquérir la princesse du Pays de Toujours !

Erin savait que le mieux, avec Peter Ramsey, était de feindre l'indifférence. En d'autres termes, de se rendre au dîner en jean et de prétendre qu'elle n'avait accepté la rencontre que pour parler de Thomas, et non pour un quelconque badinage.

Mais c'était compter sans la tentation qui s'insinua peu à peu dans son esprit, tandis qu'elle regagnait la résidence hôtelière où elle séjournait lorsqu'elle venait à Sydney... Lorsqu'elle sortit de la salle de bains, douchée et les cheveux brillants comme de l'onyx, tout son être était tendu vers un seul but : conquérir Peter Ramsey !

Presque malgré elle, Erin sortit sa tenue préférée de son placard : une robe de soie sauvage verte, tissée de fils d'argent et merveilleusement coupée. Elle en adorait les couleurs, et ces dernières le lui rendaient bien, faisant ressortir ses yeux et mettant ses courbes en valeur. Richard Long, son éditeur londonien, lui avait fait remarquer que c'était une robe à laquelle aucun homme — lui compris — ne pouvait rester indifférent.

Parfait. C'était exactement ce qu'il lui fallait. Erin l'enfila, s'assura que le décolleté n'était pas trop audacieux — cette robe se portait sans soutien-gorge —, attacha ses cheveux en queue-de-cheval et étudia son reflet dans le miroir. Sans bijoux et avec un léger maquillage, l'effet était idéal. Elle avait l'air sexy, mais pas trop habillée.

Avec un peu de chance, Peter Ramsey serait séduit,

sans qu'aucun de ses signaux d'alarme ne se mette en route. C'était tout l'art de la sorcellerie féminine : attraper sa proie par surprise !

Avec un petit rire satisfait, Erin fit un tour sur elle-même devant le miroir. A trente ans, elle avait passé la majeure partie de sa vie en spectatrice du monde, refusant de s'engager dans une quelconque relation de long terme.

Evidemment, ce n'était pas comme si Peter Ramsey lui offrait une relation à long terme. Il ne lui offrait d'ailleurs rien du tout ! Mais c'était bien la première fois qu'Erin se sentait stimulée, intriguée à ce point par un membre de la gent masculine.

Et en bonne écrivaine qu'elle était, la curiosité intellectuelle commandait qu'elle explore ce sentiment !

Peter jeta un coup d'œil à sa montre tandis que la serveuse ouvrait sa bouteille de chardonnay et lui en servait un verre. 19 h 25. Encore quelques minutes à attendre, du moins si Erin était ponctuelle. Et quelque chose lui disait qu'elle le serait.

Sirotant une gorgée de vin, il embrassa le restaurant du regard. « Restaurant » était d'ailleurs un bien grand mot, il s'agissait plutôt d'une guinguette vendant des plats à emporter. Une petite salle à l'arrière ainsi qu'une courette recouverte d'une pergola permettaient à une vingtaine de personnes de s'asseoir et de manger sur place, sur des tables laminées. Sel, poivre, piment et serviettes en papier étaient présentés sur un petit plateau de bambou posé sur chaque table. Deux verres retournés et une bouteille d'eau complétaient le service.

Il espérait que le vin blanc qu'il avait choisi plairait à Erin. Il voulait la satisfaire, l'impressionner, la combler. Même si l'endroit qu'elle avait choisi indiquait assez clairement qu'elle ne voyait pas ce dîner comme un rendez-vous galant.

Peut-être avait-elle simplement été intimidée par son nom, songea Peter avec un sourire. Il allait lui montrer, si c'était le cas, qu'il était fort accessible !

Il comprit cependant, sitôt qu'il la vit franchir le seuil, que ce ne serait pas nécessaire. A en juger par la façon dont elle était habillée, Erin avait décidé de passer à l'offensive. Elle avait exactement la même chose que lui en tête.

Au lieu de le satisfaire, cependant, cela le déçut quelque peu. Oh, pour être désirable, elle était désirable, et Peter sentit tout son corps se raidir en réponse au silencieux message qu'envoyaient cette silhouette de rêve, ce décolleté affolant, cette démarche chaloupée, ces jambes longues et galbées, ce cou gracile, ces lèvres boudeuses… Elle était d'une beauté à couper le souffle.

Mais où était le défi, dans tout cela ? Et, songea Peter avec une bouffée de son cynisme habituel, quel rôle avait joué le nom de Ramsey dans cette transformation ?

La princesse du Pays de Toujours avait-elle, après tout, des visées plus matérialistes que d'apporter le bonheur à tous les enfants du monde ?

Elle avait commis une erreur magistrale !

Erin avait senti une intense excitation l'envahir lorsque Peter Ramsey s'était levé pour l'accueillir, visiblement pris de court par sa tenue, par cette version beaucoup plus glamour de la jeune femme qu'il avait rencontrée quelques heures plus tôt.

Pourtant, il y avait quelque chose d'étrange dans son sourire. Ou plutôt dans ses yeux. Eux ne souriaient pas. Ils exprimaient au contraire une certaine ironie.

L'enthousiasme d'Erin s'évapora instantanément. Elle

aurait voulu pouvoir faire de même et disparaître à tout jamais tant elle était embarrassée. Car il était à présent évident qu'elle s'était trompée sur le sens de son invitation à dîner. L'attirance qu'elle éprouvait pour lui n'était pas réciproque. Elle venait de se ridiculiser.

Un instinct défensif prit aussitôt le contrôle de son esprit, stimula le terreau fertile d'où émergeaient ses livres, lui fit explorer en une fraction de seconde une dizaine d'excuses possibles pour rattraper la mauvaise impression qu'elle venait de faire.

— Bonsoir ! dit-elle avec un large sourire et une main tendue. Désolée pour cet accoutrement, mais j'ai une soirée tout à l'heure, et je n'ai pas le temps de rentrer me changer.

— Ne vous excusez pas. C'est ravissant.

S'il voulait la mettre à l'aise, c'était raté. Car il ne relâcha pas la main d'Erin après l'avoir serrée, et elle sentit une étrange chaleur infuser sa peau. Elle aurait juré que son sang allait se mettre à bouillir d'une minute à l'autre.

— Vous allez retrouver votre petit ami ? demanda-t-il, dardant sur elle son regard bleu inquisiteur.

Autant passer sous un scanner, songea-t-elle. Elle savait qu'elle ne pouvait pas mentir. Il le verrait aussitôt.

— Je n'ai pas de petit ami.

L'homme d'affaires haussa un sourcil surpris.

— Vraiment ? Eh bien, je suis sûr que vous n'allez pas manquer de candidats au poste, à cette soirée.

Erin n'aurait su dire s'il s'agissait d'un compliment ou d'une critique pour une tenue qu'il trouvait sans doute bien trop révélatrice.

— Peut-être, répondit-elle avec un haussement d'épaules. Mais ce qui compte, c'est l'étincelle, le déclic. C'est rare.

— Je ne vous le fais pas dire.

— Ah bon, pour vous aussi ?

— Vous avez l'air surprise.

Ses traits s'étaient durcis presque imperceptiblement,

mais cela n'avait pas échappé à Erin. Il n'avait pas apprécié le sous-entendu : certaines choses devaient être plus faciles, plus accessibles à un homme tel que lui. Et elle avait été stupide de le sous-entendre. Après tout, elle ne connaissait rien de sa vie.

C'était pour cela qu'elle était venue. Pour en découvrir un peu plus sur son compte. Malheureusement, la soirée n'en prenait pas le chemin.

— Je veux simplement dire que vous avez sûrement davantage le choix que moi.

— Croyez-moi, l'étincelle en question n'en est pas pour autant plus facile à trouver.

— J'ai juste cru comprendre que vous aviez eu beaucoup de conquêtes.

— En effet. Je procède par élimination. Pas vous ?

Erin secoua la tête, surprise autant par la tournure de la conversation que par l'intimité de la question. Une nouvelle fois, les yeux bleus la défiaient.

— Je ne sais pas comment nous en sommes arrivés là, déclara-t-elle dans un soupir. Vous vouliez parler de Mme Harper.

— C'est vrai, dit-il, lui relâchant enfin la main. Vous êtes pressée de dîner ?

La question la prit de court. Tout semblait aller de travers, et cette soirée fictive n'arrangeait rien à la chose. Il en avait déduit qu'elle n'avait pas beaucoup de temps devant elle.

— Non, non. Je peux arriver quand je veux, répondit-elle d'un ton dégagé.

Elle s'assit, fit mine de chercher son portable dans son sac pour l'éteindre, puis reprit :

— Je prendrai tout le temps qu'il faudra pour parler de Thomas. Sa vie est gâchée par la guerre que se mènent ses parents.

— Celle de Dave Harper aussi.

— C'est vrai. Je suppose que c'est surtout Thomas

qui me préoccupe. C'est naturel, j'avais sept ans quand mes propres parents ont divorcé.

— Vous étiez fille unique ?

Erin grimaça. Elle ne se rappelait que trop cet intense sentiment d'abandon et de solitude…

— Oui. Ça n'a pas aidé.

— Qui a obtenu votre garde ?

— Ma mère.

— C'était ce que vous vouliez ?

— Non, ce que je voulais, c'était que mes parents restent ensemble. Un couple ne devrait pas avoir d'enfants s'il n'est pas solide comme un roc.

— C'est pour ça que vous ne vous êtes pas mariée ?

Erin soupira. Une nouvelle fois, la conversation semblait avoir pris une étrange tournure. Elle n'avait pas envie de faire une psychanalyse, ni devant lui ni devant personne d'autre.

— Nous ne sommes pas là pour parler de moi, lui rappela-t-elle un tantinet sèchement.

— Je suis juste curieux de connaître vos motivations, répondit aimablement Peter Ramsey. Un peu de vin ? C'est un chardonnay de Margaret River. Délicieux.

Ajouter de l'alcool au mélange volatil d'émotions qui la secouaient ? Non merci. Elle avait déjà du mal à contrôler sa langue, elle n'avait aucune envie d'avaler quoi que ce soit qui risque de la délier davantage !

— Non merci. Je vais rester à l'eau.

— Je vois. Vous vous réservez pour votre soirée.

Erin prit quelques secondes de réflexion. Peter Ramsey semblait étrangement curieux de sa vie privée. C'était d'autant plus étrange qu'il avait eu l'air singulièrement refroidi par son apparence lorsqu'elle était arrivée. Mais plus elle lui résistait, plus elle cherchait à éluder ses questions, plus il voulait en savoir.

Gênée et quelque peu déroutée, elle lui retourna un regard ferme et répliqua :

— Non. Il se trouve que je préfère l'eau. J'aime garder les idées claires.

— Même dans une soirée ?

— Surtout dans une soirée.

— Vous avez eu une expérience désagréable, c'est ça ?

— Non, et je n'ai pas envie d'en avoir.

— On dirait que vous aimez garder le contrôle, dans la vie.

Il la sondait de nouveau, ses intenses yeux bleus plongés dans les siens, éclairant les recoins les plus sombres de son âme. Et, bien qu'elle n'ait pas bu une goutte d'alcool, Erin avait l'impression d'être ivre. Son sang rugissait à ses oreilles, son cœur palpitait, et il lui semblait que son cerveau s'enfonçait dans une brume ouatée.

— Je ne donnerai jamais le contrôle de ma vie à quelqu'un d'autre, c'est certain ! repartit-elle.

Ce ne fut qu'une fois les mots prononcés qu'elle se rendit compte de l'intimité de l'information qu'elle venait de lui fournir. Cela n'échappa pas non plus à Peter Ramsey, qui fondit dessus tel un faucon sur une innocente souris.

— Il est plus facile d'être indépendante que de faire confiance à quiconque, n'est-ce pas, Erin ?

— Lorsque les gens sur lesquels vous êtes censée compter se servent de vous comme d'un pion, vous apprenez à devenir indépendante, oui. Et c'est probablement ce qui va arriver à Thomas, ajouta-t-elle, tentant de remettre la discussion sur des rails moins personnels.

Puis, parce qu'elle avait besoin d'occuper ses mains, elle décapsula la bouteille d'eau et s'en servit un verre qu'elle but à longues goulées.

— Je suis désolé, dit son compagnon. J'aurais dû vous servir.

Cela ne fit qu'ajouter à l'irritation d'Erin.

— Pourquoi ?

Il haussa les épaules et sourit, comme désarçonné par la question.

— Eh bien, parce que c'est le devoir d'un gentleman envers une jeune femme.

— Oh ! Et qu'est censée faire la jeune femme pour le gentleman ?

« Elle couche avec lui. »

La réponse explosa dans son esprit presque en même temps qu'elle posait la question. Elle n'en fut pas moins choquée, cependant, lorsqu'elle lut la même chose dans les yeux de son vis-à-vis, accompagnée de ce qui ressemblait fort à du désir.

— Dans mon monde, répondit Peter Ramsey avec un sourire séducteur, un gentleman prend soin de la femme qui veille à sa satisfaction.

Dans un accès de provocation, Erin ne put se retenir de demander :

— Et en quoi vous ai-je procuré une quelconque satisfaction ?

— Vous avez accepté de me parler de Mme Harper. C'est bien pour ça que vous êtes là, non ?

Il avait répondu sans la moindre hésitation, d'un air parfaitement innocent, et Erin se demanda pendant une fraction de seconde si elle s'était imaginé cette tension sexuelle. Mais sa peau picotait encore, et elle en déduisit qu'elle n'avait rien inventé.

La serveuse arriva fort heureusement à cet instant, lui donnant quelques moments de répit. Elle avait besoin de reprendre ses esprits et, dissimulée derrière son menu elle prit quelques profondes inspirations,.

Bon, elle devait récapituler.

Elle avait choisi une robe qui indiquait clairement ses intentions.

Mais Peter Ramsey n'avait pas apprécié.

Et, pourtant, elle aurait juré qu'il venait de lancer une offensive de séduction. Trouvait-il le défi qu'elle représentait plus excitant, depuis qu'elle avait prétendu ne pas s'être habillée pour lui ? Il devait être habitué à ce que les femmes se jettent à ses pieds, et trouver rafraîchissant d'avoir à fournir un petit effort.

Elle soupira. Il n'y avait pas moyen de savoir si elle avait raison ou non. Rien du reste n'était très simple, dans la vie. C'était d'ailleurs la raison pour laquelle elle préférait l'univers de ses livres, et les personnages qu'elle inventait.

Car elle avait un contrôle total sur eux !

— Erin ?

La voix de Peter la ramena à la réalité, et elle vit la serveuse qui l'étudiait d'un air interrogateur.

— Oh, euh, je prendrai les crevettes à la confiture de piments.

— Vous aimez les sensations fortes ? s'enquit Peter d'un air espiègle.

— La recette utilise des piments doux, l'informat-elle d'un ton neutre.

— La même chose pour moi, alors.

La serveuse acquiesça et s'éloigna en direction de la cuisine. Le sourire de Peter s'élargit et il ajouta :

— J'aime les choses épicées.

Erin sentit son estomac se nouer, sa gorge se serrer, ses oreilles brûler. Ce sourire… cet éclat provocateur et sexy dans le regard… Cette fois, elle était sûre que ce n'était pas le produit de son imagination enfiévrée !

— Pourquoi ai-je l'impression que vous êtes en quête d'aventure, Peter ?

Il partit d'un rire franc, et Erin en éprouva une satisfaction étonnante.

Elle avait fait rire Peter Ramsey.

Et quelque chose lui disait qu'à partir de là tout était possible.

Elle décida donc de se détendre et d'apprécier la soirée. Elle verrait bien où cela mènerait !

4.

Elle arborait de nouveau cette expression d'enfant émerveillée, cette surprise qui semblait agrandir encore l'immensité vert d'eau de ses yeux.

Cela lui alla droit au cœur, et il se retint de justesse de lui répondre : « Vous êtes mon aventure, Erin Lavelle. » Cela risquait de l'effrayer, d'entraver les progrès qu'il avait faits avec elle. Car il avait réussi à franchir barrière après barrière, à gagner sa confiance petit à petit. Et ce qu'il avait découvert lui plaisait.

Elle n'avait pas de petit ami. Des parents divorcés, sans doute peu envahissants. Elle était libre de faire ce qu'elle voulait. Ce soir, elle avait choisi de dîner avec lui avant de se rendre à une fête.

Une fête à laquelle il comptait bien la dissuader d'aller. Mais chaque chose en son temps. Il était important, une nouvelle fois, de ne pas l'effrayer par des manières trop brusques.

— Il est vrai que ma journée a été pour le moins inhabituelle, déclara-t-il enfin. Mais j'en ai tiré un sentiment de satisfaction assez étonnant. Et j'ai envie de la terminer sur la même note.

— Que faisiez-vous dans ce parc ? s'enquit Erin avec un sourire malicieux.

« Je vous suivais. »

Serait-elle flattée de l'entendre ? Ou inquiète ?

Un instinct prédateur lui souffla que mieux valait

179

s'approcher davantage de sa proie avant de révéler son jeu. Il haussa donc les épaules et expliqua :

— Une inspiration. J'ai passé la matinée au champ de courses de Randwick avec mon entraîneur. Les courses vont bientôt recommencer, et il voulait m'entretenir de la forme de mes chevaux. Je rentrais à mon bureau, il faisait beau, et j'ai été pris d'un soudain besoin de humer la fragrance des roses…

Erin se mit à rire de son lyrisme.

— Il n'y a pas de roses dans ce parc.

— Alors disons que je voulais respirer un peu d'air frais et prendre le soleil. Deux denrées rares dans les conseils d'administration.

— À quand remonte la dernière fois que vous avez fait l'école buissonnière ?

Peter secoua la tête.

— Je ne m'en souviens pas. C'est terrible, non ? En tout cas, ça fait un bien fou !

— Même de venir ici ? fit Erin avec un geste embrassant la petite pièce.

— Quel que soit l'endroit, c'est un immense privilège que de dîner avec la princesse du Pays de Toujours.

Les lèvres d'Erin formèrent un O silencieux comme elle plaquait ses deux mains sur ses joues et rougissait de fort charmante façon.

— Mon Dieu… Vous avez *vraiment* écouté mon histoire ?

— Bien sûr. Les enfants et moi étions captivés.

— C'est vrai ? Ça vous a plu ?

Elle semblait ravie par le compliment. Sa joie était communicative, et Peter se surprit à sourire en retour.

— Vous avez un véritable talent, Erin.

— C'est l'une de mes histoires préférées. Je suis contente que…

Elle s'interrompit, puis fronça les sourcils et baissa

les yeux. Peter n'aurait su dire pourquoi, mais il avait l'impression qu'elle s'était retenue de dire quelque chose.

— Quoi ? la pressa-t-il, avide de revoir cette merveilleuse expression sur son visage.

La jeune femme eut un petit rire embarrassé, puis prit son verre d'eau et en but une gorgée avant de répondre :

— Vos compliments me sont montés à la tête. Et je vous en suis très reconnaissante. Mais parlons de Mme Harper, maintenant. Après tout, c'est pour ça que vous êtes venu, non ?

Peter dut résister à l'impulsion de lui répondre que non, ce n'était pas la raison de sa présence. Il aurait très bien pu se contenter de téléphoner pour demander comment la femme de Dave Harper avait réagi. Mais il était encore trop tôt, décida-t-il, pour jouer franc jeu. Erin pourrait prendre peur. Il devait l'approcher tel un lion une gazelle qui s'abreuve dans la savane, inconsciente du danger.

Feignant le plus grand intérêt, il s'adossa de nouveau à sa chaise et croisa les bras sur sa poitrine.

— Mais bien sûr. Je vous écoute. Votre tante a-t-elle utilisé mon nom ?

— Pas immédiatement. Elle s'est d'abord contentée d'annoncer à Mme Harper que son mari était venu au parc et…

Erin fronça les sourcils en se remémorant l'incident, secoua la tête et enchaîna :

— C'était bizarre, Peter. Au lieu de se mettre en colère, ou de paniquer, elle a paru enchantée. Comme si Dave avait foncé tête baissée dans un piège qu'elle lui avait tendu. Elle tremblait presque d'excitation quand elle a demandé à Sarah si la police avait arrêté son mari.

Peter acquiesça, songeur.

— Ça colle avec le récit de Dave. Elle veut Thomas pour elle seule, et elle est prête à tout pour ça. Je suppose que Sarah a dû en prendre pour son grade lorsqu'elle a annoncé qu'elle n'avait pas appelé la police.

— Vous n'imaginez même pas... L'autre a explosé comme une bombe à retardement. Elle s'est mise à hurler, à l'insulter et à la menacer. Elle était rouge de rage. Sarah a profité d'un moment où elle reprenait son souffle pour lui montrer votre carte, et lui faire part de votre soutien à Dave.

— Et ?

— Votre nom a fait son effet. Mme Harper était abasourdie. Elle n'arrivait pas à y croire. Elle n'arrêtait pas de répéter : « Mais comment Dave peut-il le connaître ? Pourquoi Peter Ramsey se mêlerait-il de cette affaire ? », et cætera. Bref, quand Sarah lui a dit qu'elle ne savait rien d'autre, Mme Harper s'est remise à hurler, à crier qu'elle ferait ce qu'elle voudrait, que c'était sa vie...

— Ça correspond, là encore, fit Peter avec un hochement de tête satisfait. Dave dit qu'il a toujours dû lui céder sur tout, sans quoi elle rentrait dans des rages folles. Mais il ne renoncera pas à Thomas.

— Je suis sûre que sa femme se battra jusqu'au bout, objecta Erin.

— Je n'en doute pas. Mais j'ai mis Dave entre les mains d'un avocat qui veillera à ce qu'il obtienne un droit de visite normal. Peut-être même la garde. Si Mme Harper continue de se montrer déraisonnable, nous l'utiliserons contre elle.

Son assurance parut intriguer Erin, qui se pencha légèrement en avant et demanda :

— Pourquoi vous êtes-vous mêlé de tout ça ? Je veux dire, Mme Harper a raison : qu'est-ce que vous avez à gagner dans cette affaire ?

— Vous pensez que je n'aurais pas dû ?

— Bien au contraire. Mais ce n'est pas fréquent de voir quelqu'un aider une tierce personne sans rien espérer en retour.

Peter savait qu'il aurait pu jouer la carte de la générosité et du désintéressement, qui visiblement impressionnaient

Erin, mais ce n'était pas le genre de relation qu'il voulait. Quelque chose, il ne savait quoi, le poussait à être franc avec elle.

— Vous savez, dit-il avec un sourire sardonique, il est très facile de jouer au Bon Samaritain lorsque l'on est à la tête d'une fortune comme la mienne.

— C'est vrai. Mais c'est votre temps, plus que votre argent, que vous lui avez donné. Et du temps, vous n'en avez pas plus que le commun des mortels.

Peter soupira. Il ne s'était pas vraiment interrogé sur les raisons de son acte.

— J'ai réagi instinctivement, je suppose. Je ne veux pas qu'il perde son fils. Trop de pères sont traités injustement dans ces affaires de divorce. Je sais que, si ça m'arrivait, je me battrais bec et ongles pour mes enfants.

Erin le croyait. Sa mine sombre, l'éclat soudain menaçant de son regard, le tranchant de sa voix, tout disait assez sa détermination. Malheur à la femme qui essaierait de séparer Peter Ramsey de sa progéniture !

Mais se battrait-il par pur instinct de possession, ou parce qu'il comptait être impliqué dans l'éducation de ses enfants ?

— Certains pères n'aiment pas s'occuper de leurs enfants, fit-elle remarquer. Beaucoup préfèrent déléguer cela à la mère.

Il y eut un éclair moqueur dans ses yeux, presque aussitôt remplacé par ce faisceau bleu et inquisiteur qui semblait lire au plus profond d'elle-même.

— Vous parlez d'expérience, Erin ?

— Oui, concéda-t-elle avec un sourire. Mon père est professeur de littérature anglaise. Il ne vit que dans et par les livres. Alors un enfant, ça l'a toujours un peu dépassé. La seule chose qu'il faisait avec moi, c'était de me parler de livres. Et j'aimais ça. Mais j'ai toujours eu l'impression que notre relation était limitée à ce qui *lui* plaisait. Je n'existais pas vraiment en dehors de ces échanges. Comme je l'ai appris après le divorce de mes parents… il était inutile de lui demander davantage.

Peter grimaça.

— En d'autres termes, c'est un homme égoïste. Je suis navré, Erin. Tout ce que je peux vous dire, c'est que nous ne sommes pas tous comme ça.

— Non. Et toutes les femmes ne sont pas non plus comme Mme Harper.

— Votre mère ne voulait pas de vous, elle non plus ?

Erin hésita. De nouveau, les questions se faisaient personnelles. *Très* personnelles. Cela la faisait se sentir vulnérable, mal à l'aise. Elle en avait déjà révélé bien plus à Peter Ramsey qu'à quiconque auparavant.

Mais, après tout, quelle importance ? Ils discutaient simplement du problème du divorce et de ses conséquences. C'était une soirée après laquelle ils ne se reverraient sans doute pas. Et puis, répondre à ses questions lui donnerait le droit de lui en poser en retour.

— Je n'irais pas jusqu'à dire que ma mère ne voulait pas de moi, répondit-elle enfin. Mais elle reprochait à mon père de ne pas faire sa part de travail. Et elle me poussait sans cesse vers lui. Je n'ai compris que plus tard qu'elle détestait le fait qu'il ait une maîtresse, et qu'elle m'utilisait pour l'aiguillonner en permanence.

— Et votre père a fini par partir.

Erin soupira, se rappelant les cris et les larmes qui avaient précédé la séparation, les heures passées dans sa chambre, la tête sous l'oreiller pour ne pas entendre les disputes.

— Ma mère lui a rendu la vie insupportable. Naturellement, il a fini par faire ses valises.

— On dirait qu'elle se préoccupait davantage de lui faire payer son infidélité que de vous préserver. Je me trompe ?

Erin haussa les épaules. Elle avait très vite appris, pour se protéger, à ne compter que sur elle-même. Mieux valait cela que se voir rejeter par son père ou subir un énième sermon de sa mère sur la difficulté d'élever seule un enfant.

— J'ai appris à me détacher. Comme beaucoup d'autres enfants, j'ai été prise sous un feu croisé. Mais je pense que j'ai eu de la chance. Je ne m'en suis pas trop mal sortie. Et j'espère qu'il en sera de même pour Thomas ; que sa mère finira par comprendre qu'un enfant a besoin de ses deux parents.

— Je l'espère, moi aussi.

— Et vous, Peter ?

La question le prit visiblement par surprise. Il ne s'était pas attendu, au beau milieu de cette séance de confessions, à se voir retourner les mêmes questions.

Il dévisagea donc Erin avec étonnement, et répéta :

— Comment ça, et moi ?

— Parlez-moi de votre enfance. Quel effet cela fait-il de naître prince ? D'avoir le monde à ses pieds ?

Elle avait voulu le taquiner, mais elle vit qu'elle avait touché un point sensible.

— Ça va peut-être vous surprendre, mais ce n'est pas nécessairement plus facile. Vous ne savez jamais si les gens s'intéressent à vous pour ce que vous *êtes* ou pour ce que vous *avez*, répondit-il avec un sourire sarcastique. La solitude qui en résulte n'a rien à envier à la vôtre.

Erin hocha la tête, se demandant si sa richesse avait complètement détruit sa capacité à faire confiance à quiconque. Si c'était le cas, c'était fort triste.

Mais cela expliquait aussi pourquoi il avait si volontiers aidé Dave Harper. Précisément parce que ce dernier ne lui avait rien demandé.

Leurs plats arrivèrent à cet instant et, sitôt que la serveuse se fut retirée, Erin annonça d'un air solennel :

— Je compte bien payer pour mon dîner, Peter. Je ne suis pas venue pour un repas gratuit.

Non, elle était venue pour le séduire. Mais cela, il n'avait pas besoin de le savoir !

— Mais c'est moi qui vous ai invitée, fit valoir son compagnon, apparemment amusé.

— Et c'est moi qui ai choisi le restaurant. Bon, mangeons avant que ça ne refroidisse.

La nourriture était délicieuse. Les légumes étaient frais, ainsi que les gambas, dont la saveur était délicatement relevée par la confiture de piments.

— Ça vous plaît ? demanda Erin après quelques instants.

— C'est délicieux…

Il plongea les yeux dans les siens comme il disait cela, et elle eut une nouvelle fois l'impression que ce n'était pas de la cuisine qu'il parlait. Mais elle continua de manger, comme si de rien n'était.

— Vous êtes sûre que vous ne voulez pas un peu de vin ? proposa son compagnon en soulevant à demi la bouteille hors du seau à glace.

Erin leva une main en signe de refus. Peter lui montait bien assez à la tête !

— Ne vous privez pas pour moi, protesta-t-elle en le voyant reposer la bouteille sans s'être servi.

— Moi aussi je dois garder les idées claires. Je dois rentrer chez moi et je conduis.

Il devait rentrer chez lui. Bien sûr.

Ce fut comme une douche glacée sur l'imagination fébrile d'Erin. Cette soirée aurait une fin, et sans doute pas celle qu'elle avait fantasmée. Elle avait été stupide de l'oublier.

— Vous allez loin ? demanda-t-elle, se forçant à sourire et à feindre un intérêt poli.

Il repoussa son assiette, fit signe à la serveuse qu'ils avaient terminé et répondit enfin :

— Non. Bondi Beach.

— Vous habitez là-bas ?

— J'y ai un appartement.

Un sourire d'autodérision étira les lèvres de Peter comme il ajoutait :

— Mais j'habite dans plein d'endroits différents.

— Moi aussi, répondit-elle instinctivement.

Peter fronça les sourcils et la dévisagea d'un air intrigué. Mais Erin ne voulait plus parler d'elle. Elle ne voulait pas ennuyer l'homme d'affaires en lui racontant sa vie de bohème. Et puis, beaucoup de gens trouvaient son nomadisme un peu étrange. La dernière chose qu'elle voulait, c'était paraître étrange à Peter ! Elle se mit donc à rire et ajouta :

— Je voyage beaucoup en imagination !

Il sourit et hocha la tête.

— C'est vrai que vous devez avoir une sacrée imagination pour inventer d'aussi belles histoires. Mais cela vous plairait-il, aussi, d'imaginer que vous passez le reste de la soirée avec moi ?

La question avait été posée de manière si naturelle, et si brutale à la fois, qu'Erin douta un instant de sa réalité. Etait-il possible qu'elle ait rêvé les yeux ouverts ? Que les mots entendus ne soient qu'un pur produit du désir qui pulsait au plus profond d'elle-même ?

Mais Peter se pencha, et elle comprit, en sentant la pleine puissance de son magnétisme l'envelopper, qu'elle n'avait rien inventé.

Ses yeux bleus accrochèrent les siens avec une intensité hypnotique comme il s'enquérait :

— Quelqu'un vous attend à cette soirée ?

— N... Non.

— Alors venez avec moi.

Il se fendit d'un large sourire qui dévoila ses dents éclatantes et ajouta :

— Réfléchissez. Il est normal qu'un prince veuille enlever la princesse pour l'emmener jusqu'à son château. L'histoire ne peut pas s'arrêter là, Erin.

La gorge d'Erin s'était asséchée, et elle déglutit

plusieurs fois dans l'espoir de l'humecter. Elle avait peine à croire que ses rêves les plus fous étaient en train de devenir réalité. Peter Ramsey la désirait. Il voulait la ramener chez lui.

— Non, reconnut-elle d'une voix étranglée. L'histoire ne peut pas s'arrêter là.

Il se mit à rire, et un soulagement visible apparut dans son regard. Il n'était donc pas aussi sûr de lui qu'il en avait l'air !

— Mon destrier nous attend, annonça-t-il, bondissant sur ses pieds et lui tendant la main.

Elle la prit et sentit un frisson lui courir le long de la peau.

— Est-ce que c'est un destrier blanc ? demanda-t-elle, le cœur battant.

— Bleu, répondit-il avec le plus grand sérieux.

Erin se laissa entraîner vers la sortie, ivre d'excitation. Ils ne s'arrêtèrent que pour régler leur dîner, puis Peter lui reprit la main et ils émergèrent sur Oxford Street, dans la chaleur d'une belle nuit d'été.

C'était vendredi, et l'avenue était noire de monde. Malgré la foule, cependant, les gens s'écartaient sur leur passage, comme si Peter dégageait un champ de force invisible. Ils occupaient un espace magique, un monde à part, songea Erin avec éblouissement. Le fait de ne pas savoir où elle allait, ni ce qui allait se passer, ajoutait encore à sa trépidation.

— L'écurie est dans la prochaine rue, l'informa Peter lorsqu'ils quittèrent enfin Oxford Street.

— Je me demande ce qui va se passer à minuit…, ironisa Erin.

— Vous comptez vous enfuir en courant ?

— Je ne voudrais pas me transformer en citrouille…

— Je sais où vous travaillez. Je vous retrouverai.

Erin ne travaillait pas à l'école, mais il pourrait en effet la retrouver par l'intermédiaire de sa tante s'il le désirait vraiment. Cependant, elle n'avait pas l'intention de s'enfuir, minuit ou pas ! Elle n'était pas Cendrillon, même si elle avait l'impression de vivre un conte de fées.

Ils pénétrèrent enfin dans le parking, et Erin revint brusquement à la réalité lorsque Peter s'arrêta devant un coupé BMW Z4 qu'elle reconnut aussitôt. La coïncidence était trop frappante pour en être une.

Elle avait vu cette voiture plus tôt ce matin-là. C'était la BMW qu'elle avait arrêtée pour faire traverser les enfants.

Elle se tourna lentement vers Peter, quémandant une explication du regard.

— C'est bien vous que j'ai vu, au passage piéton, ce matin ? demanda-t-elle comme il se contentait de la dévisager en silence, un sourire aux lèvres.

— Oui, bien sûr, répondit-il sans la moindre hésitation.

— Et ensuite… vous êtes allé dans le parc par hasard ?

— Non. J'y suis allé parce que votre sourire m'avait conquis. Je voulais le revoir.

— Mon sourire…

Malgré le compliment, une sirène d'alarme se mit à résonner dans son esprit, dissipant les dernières brumes qui flottaient encore.

Quelque chose ne cadrait pas. Un homme aussi occupé et influent que Peter Ramsey, qui s'arrêtait pour poursuivre une institutrice, juste parce qu'il aimait son sourire ?

C'était bien trop… bien trop…

Mais la main de Peter enveloppa sa joue, et un violent désir l'envahit, prenant le contrôle de son corps et de son esprit. Sans réfléchir, elle soupira et inclina la tête contre sa paume.

Du bout des doigts, tout doucement, il massa ses tempes comme pour l'apaiser, pour chasser ses doutes. Puis il sourit, et Erin sut qu'elle avait perdu la bataille. Il lui était impossible de résister à ce sourire. Ou au désir qui brillait dans ces yeux bleus, et qui exigeait d'être satisfait.

Il pencha la tête vers elle, presque au ralenti, et Erin crut que son cœur allait s'arrêter.

Il allait l'embrasser !

Pourtant, juste avant que ses lèvres ne touchent les siennes, une dernière pensée paniquée explosa dans son esprit. Quel genre d'homme était Peter Ramsey pour se donner tant de mal, juste après avoir vu une femme qui lui plaisait dans la rue ?

Il n'y avait que deux réponses possibles : quelqu'un de très romantique, ou de très dangereux.

5.

Le cœur d'Erin s'était emballé en un galop furieux. Au moment où les lèvres de Peter effleurèrent les siennes, elle cessa de réfléchir et, spontanément, darda une langue inquisitrice contre celle de son compagnon. Il y répondit aussitôt, et leur baiser s'approfondit, se fit d'une intensité presque vertigineuse.

Les doigts qui avaient caressé sa joue glissèrent dans ses cheveux, un bras enveloppa sa taille. Elle se retrouva plaquée contre lui, ses seins épousant les contours d'un torse dur comme du granit. La protubérance qu'elle sentait pointer contre son ventre attestait du désir de Peter, et Erin eut l'impression de fondre entre ses bras comme leur baiser se prolongeait, moite et sensuel, urgent, passionné.

Par pur réflexe, elle agrippa sa nuque, l'attira plus étroitement encore contre elle, gémissant de plaisir. Ce ne fut que lorsqu'ils se séparèrent enfin qu'elle se rendit compte de l'abandon dont elle venait de faire preuve.

Peter la dévisageait, légèrement haletant, d'un regard qui s'était assombri tel un ciel d'orage.

— J'ai très envie de vous, Erin Lavelle.

— Moi aussi, répondit-elle sans réfléchir.

— Montez dans la voiture, ordonna-t-il d'une voix rauque.

Erin tenait à peine debout, et Peter la porta presque pour l'installer sur le siège passager. Puis il claqua la porte, contourna la voiture et s'installa au volant. Tout son être irradiait une énergie brûlante, et l'air parut se charger d'électricité dans l'étroit habitacle. Erin se demandait comment il parvenait encore à contrôler ses mouvements quand elle-même se sentait pareille à une poupée de chiffon.

Le moteur rugit, et Peter tourna son sourire éclatant vers elle.

— Ça vous dérange si je baisse la capote ? Ou vous avez peur que ça ne vous emmêle les cheveux ?

Erin songea qu'un peu d'air frais lui permettrait de rassembler ses esprits — si du moins elle en retrouvait encore la trace —, et elle acquiesça faiblement.

— Allez-y.

L'homme d'affaires appuya sur un bouton et, en trois secondes, le toit disparut dans la banquette arrière. Peu après, ils émergèrent du parking et remontèrent la rue en trombe, avant d'être arrêtés par un feu rouge au croisement d'Oxford Street.

Un flot de piétons se déversa devant eux. Les gens regardaient dans la voiture en passant, comme elle-même l'avait fait ce matin-là.

Peter faisait-il de l'œil aux femmes ?

Elle l'étudia à la dérobée. Non, toute son attention était concentrée sur le feu rouge, et son impatience était manifeste.

Il dut percevoir son malaise, ou l'examen auquel elle le soumettait, car il se tourna soudain vers elle, sourcils légèrement froncés.

— Quoi ?

Erin savait qu'elle prenait un gros risque en parlant, et un plus gros encore en se taisant. Elle bredouilla donc :

— Est-ce que… est-ce que tout cela n'est qu'un jeu pour vous ? Vous choisissez des femmes qui n'ont rien à voir avec votre milieu social pour vous distraire et…

— Non, coupa-t-il, lui prenant la main et la serrant dans la sienne. C'est la première fois que je fais une chose pareille, Erin. Et vous êtes bien plus attirante que n'importe quelle femme que j'aie pu rencontrer. Ma vie me paraissait un peu grise depuis longtemps, et vous y avez apporté de la couleur.

Erin rougit de plaisir. Elle lui sourit, et il fit de même en retour. Une sensation de chaleur l'envahit, apaisant ses doutes.

Le feu passa enfin au vert. Peter relâcha sa main, enclencha la première et démarra. Avec un soupir de bien-être, Erin s'enfonça dans le siège de cuir, laissant le vent lui fouetter le visage, les senteurs de la nuit l'enivrer. Ce n'était pas tous les jours, après tout, qu'elle faisait une sortie en cabriolet ! Autant en profiter.

Malgré son désir de s'abandonner totalement à l'instant et à l'homme qui la troublait tant, un reste de prudence se ralluma en elle, lui soufflant que Peter Ramsey avait pu lui mentir. Peut-être trouvait-il infiniment excitant de s'amuser avec des inconnues qu'il rencontrait dans la rue. Des femmes à l'opposé de celles qu'il fréquentait habituellement.

Ne l'avait-il pas manipulée toute la journée, après tout ? D'abord en prétendant que leur rencontre dans le parc avait été fortuite ? Ensuite en s'assurant qu'elle l'appellerait pour discuter de Mme Harper, ce qui n'avait été qu'une excuse pour l'inviter à dîner ? Il n'y avait rien de spontané dans ces actions. Elles dressaient le portrait d'un homme habitué à profiter de la moindre occasion.

Et Peter Ramsey n'était pas devenu milliardaire pour rien… Il était sans doute habitué à fondre sur ce qui l'intéressait, femmes ou bonnes affaires, et à ne se préoccuper qu'ensuite des conséquences.

Et voilà qu'elle le laissait l'emmener chez lui, dans son appartement, conformément au plan qu'il avait dû élaborer dès le départ, depuis le sourire qu'ils avaient échangé sur un passage piéton de Sydney. Cela lui rappelait le fameux « Veni, vidi, vici… » de Jules César, que son père aimait à citer.

Mais les milliardaires d'aujourd'hui n'étaient-ils pas l'équivalent des bâtisseurs d'empires d'autrefois ? C'étaient des conquérants, eux aussi. Le terme s'appliquait parfaitement à Peter Ramsey. D'ailleurs, elle l'avait comparé à un guerrier viking lors de leur première rencontre.

Peut-être aurait-elle dû éprouver de la crainte à son égard, mais cela lui était impossible. Il la provoquait et l'excitait comme personne auparavant, et il n'y avait plus de place en elle pour la peur. S'il l'avait manipulée comme une marionnette, elle s'en moquait. Elle-même n'était pas innocente et avait également tenté de le manipuler en s'habillant de manière aussi sexy. A chacun ses armes.

Et puis, elle aussi trouvait le quotidien trop gris. C'est pour cela qu'elle se réfugiait souvent dans l'imaginaire. Mais Peter était une explosion de couleurs dans sa vie. Et lui était bien réel !

Il était son prince, elle serait sa princesse. Au moins le temps d'une nuit. Elle devait en profiter, savourer la magie de l'instant.

Quant au lendemain, elle y penserait… demain !

Peter devait se rappeler constamment de ne pas dépasser la limitation de vitesse. Une incroyable excitation pulsait dans ses veines et le rendait avide d'action. Il était douloureusement conscient de la présence d'Erin à son côté, et il lui semblait sentir encore ses courbes plaquées contre son corps. Ce simple souvenir éveillait en lui des instincts dignes d'un homme des cavernes.

Pour la énième fois, il se força à lever le pied. Il était tellement absorbé dans ses pensées qu'il lui fallut un moment pour se rendre compte qu'il n'avait pas prononcé un mot depuis Oxford Street.

Erin était pour sa part tout aussi silencieuse. Mais que devait-il en déduire ? Qu'elle s'abandonnait à ce que la nuit leur réservait ? Ou les doutes qu'elle avait exprimés étaient-ils encore en train de la ronger ? Car il avait eu beau protester de son innocence et lui assurer que c'était la première fois qu'il faisait une chose pareille, elle n'avait pas particulièrement de raison de le croire.

Surtout avec la réputation de séducteur impénitent que lui faisaient les tabloïds…

Il lui coula un regard de biais. Les yeux clos, les cheveux au vent, elle avait renversé la tête en arrière. Pas de signe de tension, pas la moindre ride soucieuse sur son front. Son langage corporel, ses mains abandonnées sur ses genoux, tout indiquait un état de parfaite détente.

Se remémorant une remarque qu'elle avait faite durant le dîner, il demanda :

— Vous vous êtes réfugiée dans votre imagination ?

— Non, je suis là. Je profite de ce moment avec vous, répondit-elle, un sourire dans la voix.

— Et c'est agréable ?

— Très agréable.

Le plaisir sincère qu'il perçut dans le ton de la jeune femme dissipa ses dernières craintes. Apparemment, elle lui avait pardonné les ruses qu'il avait dû déployer pour en arriver là.

A moins que…

Il fronça les sourcils, mordu par un doute atroce. Les milliards de la famille Ramsey expliquaient-ils les bonnes dispositions d'Erin à son égard ? L'absolution facile qu'elle lui avait accordée ?

Il crispa la mâchoire, en proie à un brusque accès de frustration. Il ne voulait pas penser à cela. Pas avec elle. Pas ce soir. Erin était la tentation incarnée, une déesse, un parangon de sensualité, et il comptait bien s'abandonner aux délices qu'elle lui promettait…

Le château de son prince était un duplex au dernier étage d'un immeuble qui, perché au sommet d'une colline, dominait Bondi Beach.

Un ascenseur les emmena directement du garage jusque dans un salon spacieux — Erin eut juste le temps de le voir — ouvrant sur une magnifique terrasse dotée d'une piscine. Elle ne put étudier les lieux davantage, car Peter l'entraîna aussitôt dans sa chambre au premier étage. Là, il ouvrit un mur de rideaux, révélant un panorama qui lui donna l'impression d'être au sommet du monde.

Il y avait une terrasse, là aussi, et Peter lui fit signe de sortir après avoir fait coulisser la baie vitrée qui en gardait l'accès. Erin s'approcha de la rambarde et étudia la vue qui s'offrait à elle, émerveillée. Un bras s'enroula autour de sa taille, puissant, possessif.

— Cette nuit nous appartient, lui murmura Peter à l'oreille.

— Oui, répondit-elle d'une voix étranglée par l'émotion.

C'était une nuit magnifique. Une brise légère venue de la mer, à l'odeur iodée, avait chassé les nuages. Des milliards d'étoiles scintillaient au-dessus de leurs têtes, piquées sur le velours bleu sombre du ciel. Un croissant de lune éclairait l'étendue argentée des flots, en contrebas de la colline, d'où montait le soupir régulier des vagues qui venaient mourir sur le rivage.

Mais ce qui rendait cette soirée vraiment unique, songea Erin avec émerveillement, c'était l'homme qui la tenait dans ses bras.

Elle se laissa aller contre lui, renversant légèrement la tête contre son épaule. Elle se sentait en sécurité. C'était d'autant plus étrange qu'elle ne connaissait pas vraiment Peter Ramsey, et qu'elle n'était peut-être pas du tout en sécurité avec lui. Mais quelque chose lui soufflait qu'il méritait sa confiance.

— Vous êtes merveilleuse, murmura-t-il.

Il y avait comme de l'étonnement dans sa voix. A croire que lui aussi était médusé par ce qu'il ressentait… Elle répondit par un soupir de contentement, les yeux perdus dans les étoiles.

— J'en ai assez de ces vêtements, reprit Peter. Je veux vous sentir nue contre moi…

Elle acquiesça, le cœur battant à cent à l'heure. Elle aussi voulait le voir nu, goûter à sa peau, la toucher, se perdre dans un univers de moiteur et de sensations…

— Je crois que je vais vous déshabiller ici, sur la terrasse, annonça-t-il. Vous n'y voyez pas d'objection ?

— Non. Tant que vous me laissez faire de même.

Il se mit à rire, et le pouls d'Erin s'emballa. Ce n'était certes pas la première fois qu'elle faisait l'amour à un homme. Cela lui était arrivé bien des fois, par curiosité, par solitude, ou dans l'espoir que l'intimité physique aiderait à développer des sentiments plus profonds, ce qui n'était jamais arrivé.

Mais, ce soir, c'était différent. Tout son être bouillonnait d'un sentiment nouveau. D'une délicieuse expectative. Leur relation n'avait ni passé ni avenir. La seule réalité était le présent, cette enivrante sensation d'être en vie.

Sans la quitter des yeux, il défit la ceinture de cuir qu'elle avait passée sur sa robe. Erin entendit la boucle cliqueter sur les dalles, mais le son lui parut étonnamment lointain. Déjà, Peter remontait du bout des doigts le long de son bras. Elle en eut la chair de poule et ne put réprimer un frisson.

— Vous avez froid ? demanda-t-il, glissant la main sous ses cheveux pour atteindre le nœud qui, sur sa nuque, retenait sa robe.

— Non. C'est vous qui me faites cet effet.

Il se mit de nouveau à rire, ce rire qui faisait bondir son cœur et l'emplissait de joie.

— Vous me faites exactement le même effet, répondit-il.

Puis il dénoua ses bretelles et déposa un baiser sur sa nuque. Le haut de sa robe glissa jusqu'à sa taille, dévoilant ses seins nus, bourgeonnant sous l'effet du désir et de la fraîcheur nocturne.

Peter la regarda pendant un long moment, des volutes sombres dans ses yeux bleus.

— Vous êtes sublime..., dit-il dans un souffle. Finissons-en avec ça.

D'un seul mouvement, il fit descendre sa robe et sa culotte le long de ses jambes. Erin ferma les yeux, partagée entre pudeur et témérité. Jamais elle n'avait été si consciencieusement déshabillée. Et elle était plus habituée à la pénombre d'une chambre qu'à un clair de lune qui permettait d'y voir comme en plein jour !

— Levez les pieds maintenant. L'un après l'autre.

Elle obéit, sentit la soie caresser ses chevilles, entendit le bruissement de sa robe qui tombait sur le sol. Les seules choses que Peter ne lui avait pas ôtées étaient ses chaussures à talons, et elle trouva ce détail intensément érotique.

Avec une lenteur délibérée et toujours derrière elle, son compagnon caressa ses chevilles, remonta le long de ses mollets, passa les deux mains sur l'arrière de ses cuisses, enveloppa ses fesses, puis agrippa ses hanches.

Le cœur d'Erin ne battait plus. Il cognait. Il ruait. Il semblait vouloir sortir de sa cage thoracique. Elle était si concentrée sur les doigts qui touchaient sa peau, sur ce contact infime mais d'une violence dévastatrice, qu'elle en oubliait presque de respirer. Tous les muscles de son corps paraissaient au bord de la rupture. Ses seins semblaient avoir doublé de volume, et il les caressa doucement, passa les pouces sur leurs pointes saillantes.

Elle hoqueta, puis lui agrippa les mains, les fit redescendre sur sa taille et pivota pour lui faire face.

— A vous maintenant.

Il parut surpris, presque choqué, et Erin eut un

frémissement d'appréhension. Avait-elle brisé la magie en l'interrompant ? Il n'était sans doute pas habitué à ce qu'une femme prenne l'initiative. Peut-être s'imaginait-il qu'elle le faisait parce qu'elle n'était pas satisfaite ? Si c'était le cas, rien n'était plus éloigné de la vérité.

Mais un vif soulagement l'envahit lorsqu'elle vit une expression de compréhension amusée se dessiner sur ses traits, accompagnée d'un sourire de capitulation.

— Je vous laisse le contrôle, Erin. Faites-en ce que vous voulez.

Le *contrôle* ?

Elle comprit qu'il faisait allusion à ce qu'elle avait dit durant le dîner. « Je ne donnerai jamais le contrôle de ma vie à quelqu'un d'autre. » Pourtant, c'était bien ce qu'elle avait fait ce soir. Elle s'était soumise à lui. Elle lui avait fait confiance. Elle l'avait laissé faire d'elle ce qu'il voulait.

Pourquoi ?

Parce que sans qu'elle sache pourquoi, cela lui semblait normal.

Et il venait de lui retourner sa confiance en lui passant la main. Pour un homme habitué à dominer et à être obéi, c'était surprenant. Et infiniment excitant.

Un sentiment d'exultation balaya Erin. Il lui donnait toute liberté de faire ce qu'elle voulait de lui. C'en était enivrant !

— D'accord. Votre princesse vous ordonne de ne pas bouger jusqu'à ce qu'elle vous y autorise.

— Hmm… J'obéirai à ma princesse.

— Regardez les étoiles, je me charge du reste, ordonna-t-elle.

Il acquiesça et tourna le regard vers l'horizon, un demi-sourire aux lèvres.

— Disons que je suis de garde sur les remparts, alors.

— Oui. Comme les Beefeaters de Buckingham Palace.

— Vous êtes déjà allée à Buckingham Palace ?

— Je vous interdis de parler, Peter. Concentrez-vous sur votre corps.

Erin entreprit de déboutonner sa chemise, faisant courir ses ongles sur sa peau à mesure qu'elle le déshabillait. Son compagnon demeura silencieux, mais sa respiration s'accéléra. Elle sourit, sachant qu'il devait bouillir d'excitation lui aussi, et prit délibérément son temps.

Un homme tel que lui ne devait pas être habitué à subir, mais cela aurait le mérite d'accentuer ses sensations. Erin comptait bien rendre cette soirée aussi inoubliable et unique pour lui qu'elle l'était pour elle. Ils forgeaient en cet instant un souvenir qu'aucun des deux, elle l'espérait, n'oublierait jamais.

La chemise glissa de ses épaules, révélant un torse sculptural, des bras longs et musclés. Sa peau était naturellement tannée et douce comme du satin, et Erin fit longuement courir une main sur ses pectoraux. Elle nota avec satisfaction que le cœur de Peter s'accélérait, et poursuivit son exploration en descendant le long de son ventre plat.

Il poussa un soupir rauque et l'attira soudain contre lui, ses mains se mêlant fébrilement à ses cheveux. Erin se mit à rire, flattée d'avoir su provoquer une telle réaction — et fort émoustillée elle-même —, mais le repoussa fermement.

— Peter, vous trichez !

— Erin...

C'était un grondement de protestation, presque animal. Elle secoua la tête, intraitable.

— Je n'ai pas fini de vous déshabiller.

Elle vit son torse se soulever comme Peter inspirait plusieurs fois profondément, reprenant le contrôle de lui-même.

— Allez-y, dit-il enfin. Je vous promets d'être sage.

Peter ignorait comment il allait tenir sa promesse. Son corps tout entier était une fournaise alimentée par les flammes du désir. Jamais de sa vie les caresses d'une femme ne l'avaient échauffé à ce point. De fait, jamais aucune femme ne l'avait touché avec une telle habileté. L'attente le tuait et l'excitait en même temps, ajoutait à son plaisir, lui faisait atteindre des sommets insoupçonnés.

A ce rythme, il risquait de perdre bientôt la raison !

Il dut faire appel à tout son sang-froid pour rester immobile lorsqu'elle déboucla sa ceinture, dégrafa les boutons de son jean, le laissa glisser jusqu'à ses pieds et fit suivre le même trajet à son caleçon. D'habitude, il ôtait ses vêtements lui-même, et il était étrange de se voir déshabiller si cérémonieusement.

Etait-ce ainsi que leurs valets traitaient les princes d'autrefois ?

L'idée l'amusa, mais le désir s'abattit de nouveau sur lui comme Erin refermait une main brûlante sur son érection. Le rugissement de l'océan envahit aussitôt ses oreilles. Ou n'était-ce pas plutôt celui du sang dans ses veines ?

De sa main libre, Erin le caressait doucement, flattait, massait. La mâchoire serrée, Peter fixa les étoiles et entreprit de les compter une à une. La violence des émotions qui le déchiraient, le secouaient tel un fétu de paille, dépassait tout ce qu'il avait connu. Il brûlait d'envie de passer à l'action, d'exploser.

Mais cela ne lui était pas permis. Il devait attendre. Attendre jusqu'à ce qu'elle lui donne la permission de bouger. Attendre même s'il devait devenir fou.

Ses yeux se fixèrent sur la lune. Un beau croissant, nota-t-il. Mais elle aurait dû être pleine pour un tel conte de fées.

« Cinquante-six, cinquante-sept, cinquante-huit… »

Y aurait-il assez d'étoiles dans le ciel pour l'empêcher de perdre totalement le contrôle de lui-même ?

Il poussa un long soupir lorsque les lèvres d'Erin l'enveloppèrent. Une main crispée sur la balustrade, il se mit à trembler, mais la laissa faire.

« Cent dix, cent onze, cent douze… »

Ce n'était pas possible. C'était une jouissance inhumaine. Il allait s'oublier si elle n'arrêtait pas *maintenant* !

Par miracle, ce fut le moment qu'Erin choisit pour remonter le long de son corps, ses seins nus effleurant sa peau tandis qu'elle traçait une invisible ligne de baisers de son bas-ventre à ses lèvres, puis se collait à lui comme si elle voulait se fondre en lui, ne faire plus qu'un seul être avec lui.

— C'était bon ?

Il ouvrit les yeux, abasourdi de découvrir qu'il les avait fermés, et toussa pour s'éclaircir la gorge. Elle lui souriait de ce beau sourire qui lui allait droit au cœur.

— Je peux bouger ?

— Oui.

Sans lui laisser le temps d'ajouter quoi que ce soit, il fondit sur ses lèvres et l'embrassa à en perdre haleine, tel un homme découvrant une oasis après un long séjour dans le désert.

Puis il la prit dans ses bras et, sans cesser de l'embrasser, l'emporta dans la chambre. Juste avant d'entrer, cependant, il jeta un dernier coup d'œil à la lune. Elle n'avait pas encore atteint son zénith.

Tant mieux. La nuit promettait d'être longue.

6.

Erin reprit doucement conscience, émergeant d'un sommeil réparateur. Elle s'étira tel un chat, une agréable langueur dans les membres, soupira, leva les bras au-dessus de sa tête et ouvrit enfin les yeux.

La surprise la cueillit comme un coup de poing au creux de l'estomac.

Peter Ramsey était assis au pied du lit et la regardait, un sourire satisfait aux lèvres. Ses cheveux humides, lissés en arrière, laissaient supposer qu'il sortait de la douche. Ses beaux yeux bleus étaient fixés sur elle, et il ne semblait pas le moins du monde gêné d'être complètement nu, une simple serviette jetée en travers d'une épaule.

Elle n'avait donc pas rêvé !

Et elle était bien dans son appartement de Bondi Beach.

La nuit passée lui revint tout à coup à l'esprit, et elle sentit une douce chaleur fuser dans son bas-ventre comme elle se remémorait orgasme après orgasme. L'expérience avait été merveilleuse. Une révélation.

Mais, maintenant… qu'allait-il se passer ?

— La Belle au bois dormant se réveille enfin, remarqua Peter avec amusement. Tu aurais pu attendre que je t'embrasse.

Un vif soulagement envahit Erin. S'il continuait de filer cette métaphore, c'était que tout allait bien. Peut-être y aurait-il une autre nuit ? Ou plusieurs ?

— Ne me dis pas que j'ai dormi cent ans ?

Elle se redressa, se demandant quelle heure il était, et si Peter avait des projets pour la journée. Plus précisément des projets dont elle ferait partie.

— Non. Mais il est temps de te lever si tu veux m'accompagner à l'hippodrome.

— A l'hippodrome ?

— Oui, j'ai une jument qui court à Randwick cet après-midi. Ce sera sa première course, et j'ai promis de venir la voir.

Erin se rappela qu'il lui avait dit la veille qu'il possédait des chevaux de course. Elle n'avait jamais mis les pieds dans un hippodrome, mais elle était ouverte à toute nouvelle aventure pourvu que Peter en soit !

— Est-ce que les gens sont aussi bien habillés à Randwick que pour la Melbourne Cup ? demanda-t-elle. Je me souviens avoir lu que certaines courses hippiques n'avaient rien à envier à des défilés de mode.

— Ne t'en fais pas pour ça.

Peter contourna le lit, vint s'asseoir près d'elle et lui caressa doucement le visage du revers de la main.

— Je vais t'habiller comme une princesse, ajouta-t-il.

Cette fois, la plaisanterie tomba à plat. C'était une chose d'accompagner Peter à l'hippodrome. Elle en était ravie. Mais c'en était une tout autre de se laisser vêtir… A moins qu'elle n'ait mal compris…

— M'habiller ? Comment ça ?

Il haussa les épaules.

— Je connais tous les meilleurs couturiers de Sydney. Un coup de fil et on t'apportera ce que tu veux ici. Qu'est-ce qui te ferait plaisir ? Lisa Ho ? Peter Morrissey ? Collette Dinnigan ?

Il lâchait les noms avec une assurance nonchalante, et Erin sentit la colère l'envahir. S'imaginait-il qu'elle allait le laisser l'habiller comme une poupée, juste parce qu'il avait le pouvoir et l'argent pour le faire ?

— Non merci, répondit-elle sèchement.

— Non ?

La main qui caressait sa joue se figea. Peter fronça les sourcils, la mine incrédule.

— Tu ne veux pas ?

Il plongea les yeux dans les siens, cherchant une réponse à sa question, une explication à son attitude. Erin frémit sous ce regard brûlant, et tout son être se rebella contre l'idée que leur relation allait peut-être finir là, maintenant. Mais elle était bien déterminée à ne pas être traitée en objet.

— Je ne t'appartiens pas, Peter. La nuit dernière, j'ai *choisi* d'être avec toi. Et je ne renoncerai pas à mon libre arbitre.

Son compagnon se rembrunit davantage encore.

— Ne me dis pas que tu veux en rester là ?

L'idée lui déplaisait, c'était évident, et cela la rasséréna. Tout maladroit qu'il soit, il avait envie de prolonger ce qu'ils avaient vécu. Elle n'aurait su dire, en revanche, si c'était pour le sexe ou du fait d'une alchimie plus profonde. Peu importait, pour le moment.

La tension qui émanait de Peter était presque palpable, et Erin ne voulait pas se disputer avec lui : c'était un homme spécial, unique. Mais ils ne vivaient pas un conte de fées. Ce qu'ils vivaient était bien réel. Dans la réalité, elle avait appris à se méfier de toute forme de domination.

Combien de fois était-elle sortie avec des hommes qui s'attendaient à ce qu'elle fasse ce qu'ils voulaient, sans s'interroger une seconde sur ce qu'*elle* désirait ! Cela n'avait jamais marché. Et, tout puissant que soit Peter Ramsey, il n'aurait pas davantage de chances avec elle s'il voulait faire de même. Erin Lavelle refusait de jouer les seconds rôles.

Cela lui briserait le cœur, mais elle ne pourrait pas continuer à le voir s'il ne la respectait pas.

— Je serais ravie de t'accompagner à Randwick, annonça-t-elle enfin. Mais je ne suis pas ton trophée.

— Mon trophée ?

Il n'aimait pas ce mot, mais Erin n'en voyait pas d'autre. L'étincelle, ce matin, semblait avoir disparu. Peut-être n'avait-elle jamais existé, peut-être n'avait-elle été qu'une illusion de leurs imaginations enfiévrées.

— Je n'ai pas besoin de toi pour m'habiller, expliqua-t-elle. Si j'ai posé la question de ce qu'il fallait porter, c'était juste pour savoir quoi mettre et ne pas avoir l'air ridicule.

Il grimaça, et une lueur de compréhension apparut enfin dans le bleu de ses yeux. Ses traits s'adoucirent presque instantanément.

— Je souhaitais juste te faciliter la tâche, Erin. Et non te vexer. Je ne voulais pas que tu te sentes mal à l'aise une fois là-bas.

Il essayait de la protéger ?

Erin se décrispa un peu. Il était plein de bonnes intentions, apparemment, mais, comme le disait le proverbe, l'enfer en était pavé ! Et elle ne voulait pas de ce genre de relation.

Et puis, il y avait peut-être un autre motif derrière sa proposition de l'habiller chez les couturiers les plus en vogue de Sydney…

— Tu as peur que je te fasse honte devant tes amis ? lança-t-elle d'un ton de défi, guettant sa réaction.

Il partit d'un tel rire qu'elle se sentit idiote d'avoir posé la question.

— Je me moque complètement de ce que tu portes là-bas. En ce qui me concerne, tu peux y aller en jean. Ce sont les autres femmes qui sont de vraies harpies. Elles adorent critiquer. Mais, si tu te sens de taille à les affronter…

— Parfaitement ! s'exclama Erin.

Le bonheur qu'elle avait éprouvé au réveil l'envahit de nouveau comme ses derniers doutes s'évaporaient.

Peter parut quelque peu décontenancé par ce change-ment d'humeur.

— Quelle heure est-il ? demanda-t-elle joyeusement.

— Euh, presque 9 heures.

— Et, à quelle heure devons-nous être à l'hippodrome ?

— Vers midi.

— C'est possible.

Rejetant les draps en arrière, elle bondit hors du lit et se dirigea vers la porte entrouverte qui conduisait à la salle de bains.

— Tu peux m'appeler un taxi ? demanda-t-elle par-dessus son épaule. Je serai prête à partir dans un quart d'heure.

— Pour aller où ?

Il l'avait suivie, s'interposant entre la porte de la chambre et elle, apparemment prêt à lui barrer le chemin s'il n'aimait pas sa réponse.

Il ne voulait pas la quitter, et elle en ressentit un frisson de jubilation.

— A David Jones sur Elizabeth Street.

C'était le grand magasin le plus huppé de Sydney. Deux heures de shopping, et elle ferait des jalouses à l'hippodrome de Randwick !

— Tu pourras passer me reprendre à 11 h 30, devant l'entrée principale ! annonça-t-elle.

Puis, avec un petit rire, elle lui claqua la porte au nez.

Peter sentit tous ses muscles se raidir sous l'effet d'une frustration extrême lorsque le battant se referma, dérobant à sa vue le corps nu et splendide qu'il brûlait d'envie de toucher. Il se rappelait encore en avoir exploré chaque parcelle, la nuit passée, mais il n'avait qu'une envie : recommencer, encore et encore. Ils avaient vécu une communion unique, tout à fait inédite pour lui.

« Je ne t'appartiens pas. »

Les mots d'Erin lui revinrent à l'esprit, ajoutant à sa nervosité. Il avait voulu lui faire de nouveau l'amour, en la voyant s'étirer si langoureusement quelques instants plus tôt. A son expression choquée, lorsqu'elle s'était rappelée où elle se trouvait, il avait cru bon de la rassurer, d'apaiser ses doutes. Il lui avait fait comprendre que ce qu'ils avaient vécu n'était pas l'affaire d'une seule nuit.

Et cela avait paru porter ses fruits, jusqu'au moment où il avait stupidement proposé de l'habiller.

« Je ne t'appartiens pas. »

Bon sang, quel imbécile il faisait ! Même à présent, il n'était pas sûr d'avoir regagné le terrain perdu. Il brûlait d'envie de rentrer dans la salle de bains et de la posséder de nouveau, de l'embrasser pour ranimer cette passion à laquelle ils avaient sacrifié la nuit. Au diable les courses de chevaux ! Passer la journée au lit avec Erin Lavelle lui suffirait amplement.

Mais le peu de raison qui lui restait lui murmura que le sexe ne suffirait pas à retenir la jeune femme. Pas davantage que tous ses milliards. Elle avait paru sincèrement outrée à l'idée qu'il puisse dépenser de l'argent pour elle. Outrée et furieuse. Erin Lavelle était farouchement indépendante, et quiconque essaierait de changer cela le ferait à ses dépens.

Bon, le mieux était de continuer comme si de rien n'était. D'aller à Randwick comme prévu.

Mais de taxi, il n'était pas question. Il la conduirait lui-même à David Jones, lui parlerait en chemin, s'assurerait qu'elle n'essayait pas de prendre la poudre d'escampette.

Peter s'arrêta net au moment d'entrer dans son dressing, quelque peu dérouté par cette idée. En général, les femmes s'accrochaient désespérément à lui, le forçant à inventer mille ruses pour rompre le plus gentiment possible. Avec Erin, c'était le contraire. C'était lui qui lui courait après, elle qui lui résistait ! Pourquoi ?

Parce qu'elle était différente, tout simplement.

Et que lui aussi devait être très différent des gens qu'elle fréquentait habituellement. Il devait donc veiller à la rassurer, à apaiser ses craintes.

Car, si une chose était sûre, c'était qu'il ne voulait pas voir Erin Lavelle sortir de sa vie. Pas maintenant.

Erin fut à la fois surprise et enchantée lorsque Peter lui annonça qu'il la conduirait lui-même en ville. Cela prouvait qu'il voulait passer du temps avec elle, même si, une fois en route, il se montra peu loquace. Il paraissait même tendu, à en juger par la façon dont ses mains étaient crispées sur le volant.

Avait-il changé d'avis ? Regrettait-il de l'avoir invitée à l'hippodrome, où nombre de ses amis seraient sans doute présents ? Cherchait-il une façon de lui annoncer que ce n'était peut-être pas une bonne idée, qu'il avait parlé sans réfléchir ?

Le silence s'étira, au point que, quand Peter le rompit enfin, Erin s'attendait presque à entendre « C'est fini ! » et se préparait à accueillir la nouvelle avec le plus d'élégance possible.

— A propos de la nuit dernière…

— Oui ? murmura-t-elle, abattue.

— Je voudrais que tu saches qu'en général je n'oublie pas d'utiliser un préservatif. C'était un accident.

Erin en aurait pleuré de soulagement. C'était donc ce qui le préoccupait ! Son moral remonta en flèche.

— Ce n'est pas grave. Il n'y a pas d'accident à craindre. Je prends la pilule.

Elle la prenait depuis qu'elle avait seize ans, pour réguler ses règles, mais elle se rendit soudain compte que cela pouvait être interprété différemment. Elle ajouta donc en hâte :

— Non que j'aie une vie sexuelle extrêmement active. Mais, au cas où tu t'inquiètes, j'ai fait un bilan sanguin récemment et…

Il leva la main, un sourire d'apaisement aux lèvres.

— Je ne m'inquiète pas, Erin. Et j'ai, moi aussi, fait un bilan sanguin.

Etait-ce parce que *lui* avait une vie sexuelle débridée ? ne put-elle s'empêcher de se demander.

Comme s'il avait lu la question dans ses yeux, il se mit à rire et précisa :

— J'ai dû le faire dans le cadre d'une visite médicale. Pour les assurances.

— Oh, bien sûr, répondit-elle, feignant le plus grand détachement.

Le sujet lui rappelait en tout cas une chose : la fièvre incontrôlable qui s'était emparée d'eux la veille, au point de leur faire oublier la plus élémentaire prudence.

— J'aurais dû y penser moi-même, fit-elle valoir. Tu n'es pas le seul coupable.

— Ce n'est pas grave. Il y a eu plus de peur que de mal !

Il sourit, puis reporta son attention sur la circulation. Erin soupira, laissant la tension l'abandonner doucement. Ils avaient joué un jeu dangereux la nuit dernière. Cela ne lui ressemblait vraiment pas.

— Tu aimerais avoir des enfants, un jour ? s'enquit son compagnon d'un ton de curiosité polie, après quelques instants.

— J'aimerais bien, mais je n'arrive pas à me l'imaginer, répondit-elle honnêtement.

— Pourquoi ?

— Eh bien, comme je te l'ai dit hier, je pense qu'un couple doit être très solide avant d'envisager de faire un enfant. Et je ne crois pas que je serais une épouse idéale.

— Qu'est-ce que tu entends par « épouse idéale » ?

— Une femme obéissante, qui renonce à une partie

de ce qu'elle est pour son mari. Comme par hasard, ce n'est jamais le contraire qui se produit.

Peter fronça les sourcils.

— On dirait que tu parles d'expérience. Quel âge as-tu ?

— Trente ans et onze mois, annonça-t-elle en riant. Et toi ?

— Trente-cinq.

— Dans ce cas, tu as dû avoir, toi aussi, ton lot d'expériences décevantes…

Il se mit à rire, et elle s'émerveilla, une fois de plus, de l'effet que ce rire avait sur elle. Décidément, Peter Ramsey était un homme extraordinaire. Elle adorait ces instants passés avec lui. Nul doute que la magie aurait une fin, mais d'ici là…

— Pour moi, le mariage est un partenariat, déclara-t-il. Deux personnes qui sont complémentaires, pas en compétition l'une avec l'autre.

— Et tu en connais ? ironisa Erin.

Il acquiesça.

— Oui. Mes parents. Ma sœur et son mari également. Même si ce sont deux couples très différents. Ma mère, par exemple, pourrait paraître éclipsée par mon père, mais elle a sa propre vie et passe beaucoup de temps à s'occuper de son organisation caritative. Mon père la soutient, l'aide, et comprend parfaitement qu'il ne peut pas lui demander d'être tout le temps à son côté, à s'occuper de lui. Charlotte et Damien, à l'inverse, sont très fusionnels, très similaires. Ils font tout ensemble. Ce sont deux couples très solides.

Il évoquait sa famille avec une évidente affection, et Erin ne put s'empêcher de ressentir un pincement de jalousie.

— Tu as de la chance.

Puis elle lui décocha un regard curieux et renchérit :

— Lequel de ces deux modèles préfères-tu ?

Elle, à l'évidence, préférait le premier : celui de l'indépendance ! Mais Peter, lui, ne s'était jamais vraiment posé la question.

Il eut un haussement d'épaules.

— Si tu trouves la bonne personne, les choses se font naturellement, j'imagine. Chaque couple trouve son propre rythme.

— Voilà une réponse qui n'en est pas une ! dit-elle en riant.

Peter lui décocha un petit sourire énigmatique, lui prit la main et la posa sur le levier de vitesse.

Erin s'abandonna à un intense sentiment de bien-être. Apparemment, une rupture n'était pas au programme du jour. Peter Ramsey voulait passer davantage de temps avec elle.

Son prince…

Elle se moquait bien d'appartenir à un monde différent. Le seul fait d'être avec lui donnait à Erin l'impression que tout était possible.

Ils contournèrent Hyde Park par le nord, et Peter s'arrêta à la station de taxis d'Elizabeth Street. Comme il ne pouvait s'y garer, il laissa le moteur tourner, se pencha pour lui ouvrir la porte et lui étreignit la main avant qu'elle ne descende.

— Ne va pas dépenser des fortunes dans une robe, d'accord ? Cela n'a aucune importance.

— Je me contenterai de satisfaire ma vanité féminine, lui promit-elle.

— Je passe te prendre ici même à 11 h 30.

— J'y serai !

Elle descendit et lui fit signe comme il démarrait et se fondait dans la circulation. Puis elle se dirigea vers le passage piéton qui donnait sur l'entrée de David Jones.

Sa robe de la veille lui valut quelques regards, tour à tour surpris, narquois ou appréciateurs. Evidemment, c'était une tenue de soirée… Mais elle pourrait la mettre dans un sac sitôt qu'elle aurait trouvé son bonheur pour

Randwick. L'avantage de David Jones, c'était que l'on pouvait également y trouver un coiffeur, une manucure, une esthéticienne, en sus de tous les vêtements et accessoires qu'une femme pouvait désirer.

A 11 h 30, elle serait parée pour son voyage de découverte dans l'univers de Peter Ramsey. Et le coût de l'opération importait peu.

Elle avait la chance de ne pas avoir de soucis d'argent, les royalties de ses différents livres ayant fait d'elle l'un des auteurs les mieux payés au monde. L'une des raisons, sans doute, pour lesquelles son éditeur la trouvait si séduisante. L'argent rendait sexy. Mais il attirait également son cortège de jaloux et d'envieux.

Au moins, avec Peter, elle n'aurait pas à se soucier de cela.

Erin inspira profondément. Il lui semblait que le soleil était plus brillant, l'air plus pur aujourd'hui.

Oui, la journée s'annonçait bien…

7.

Peter dut s'arrêter pour laisser traverser une vieille dame, entre Hyde Park et la cathédrale Sainte-Marie, à faible distance de l'endroit où il avait déposé Erin un peu plus tôt. La montre, sur le tableau de bord, indiquait 11 h 30. Il était presque parfaitement à l'heure. L'attendait-elle comme prévu ?

Il balaya du regard le trottoir qui descendait vers Elizabeth Street et repéra aussitôt une femme qui se tenait à l'ombre d'un arbre, juste derrière la station de taxis. Même à cette distance, elle était d'une élégance à couper le souffle. Elle paraissait tout droit sortie des pages de *Vogue*.

Etait-ce Erin ? Un grand chapeau noir l'empêchait de distinguer son visage. Mais les cheveux et la silhouette lui ressemblaient.

Elle tourna enfin la tête, et il sentit son cœur tressaillir d'excitation. C'était bien elle. Elle le vit à son tour, sourit et agita la main. Puis, quittant l'ombre de l'arbre, elle s'avança au bord du trottoir pour l'attendre.

Elle portait une robe sans manches, très stylée, d'un vert jade ponctué de gros pois noirs. Une ceinture de cuir soulignait la finesse de sa taille et la courbe de ses hanches. Les pans de la robe, croisés sur sa poitrine, révélaient juste ce qu'il fallait de décolleté, et Peter vit la jupe s'entrouvrir légèrement comme Erin s'avançait vers lui, révélant fugitivement une cuisse fuselée. Des chaussures noires à talons hauts, attachées par une fine lanière au-dessus de la cheville, complétaient l'ensemble.

Une soudaine tension gonfla son pantalon, et il se demanda s'il n'aurait pas mieux fait de porter un jean, plus susceptible de dissimuler l'effet qu'Erin avait sur lui. Il devrait faire attention, une fois à l'hippodrome, à ne pas laisser son esprit vagabonder sous peine de se retrouver dans une situation embarrassante.

Un coup de klaxon impatient le fit revenir à la réalité, et il remarqua que le feu venait de passer au vert. Il démarra un peu plus brutalement que nécessaire, mit son clignotant et s'arrêta le long du trottoir juste devant la jeune femme.

— Je peux mettre ça dans le coffre ? demanda-t-elle en brandissant un sac noir et blanc frappé du logo de David Jones.

— Bien sûr.

Il appuya sur le bouton qui commandait le coffre, puis se pencha pour lui ouvrir la porte. Erin se glissa sur le siège passager, révélant de nouveau brièvement la peau claire de ses cuisses. Peter prit une profonde inspiration et détourna le regard.

— J'ai réussi l'examen d'entrée ? s'enquit la jeune femme tandis qu'il démarrait.

La vulnérabilité qu'il perçut dans sa voix lui rappela l'effort qu'elle venait de fournir pour ne pas détonner au sein de la haute société qui fréquentait Randwick. Elle n'avait pas hésité un instant à dépenser son maigre salaire d'institutrice. Car il était évident qu'une telle tenue avait dû lui coûter une fortune.

— Tu es splendide, Erin, la rassura-t-il aussitôt. Je crois que je vais faire des jaloux.

— Arrête, je vais rougir.

Elle eut un rire ravi, puis étudia à son tour son costume gris sombre, aux rayures discrètes, et sa cravate aux reflets dorés.

— Tu n'es pas mal non plus, ajouta-t-elle d'une voix un peu rauque.

Ils échangèrent un long regard, chargé de tension sexuelle, avant que Peter ne se rappelle soudain qu'il était en train de conduire.

Bon sang, il désirait cette femme comme personne auparavant.

— Est-ce que tu es quelqu'un de jaloux ? interrogea soudain Erin.

— Moi ? Non. Tu peux éliminer la jalousie de ta liste.

Elle lui décocha un regard médusé.

— Quelle liste ?

— La liste des défauts du mari typique. Celui dont tu parlais ce matin.

— Oh ! Je ne voulais pas... Je veux dire...

Elle rougit, embarrassée de voir qu'il avait pris sa remarque à cœur.

Il était évident qu'elle ne le considérait pas comme un mari potentiel. A moins que ce ne soit une méfiance plus générale à l'égard du concept de mariage, suite au divorce de ses parents.

Peter se demanda jusqu'où il pourrait pousser leur relation, à quel point l'indépendance farouche d'Erin la pousserait soudain à dire « Stop » et à prendre ses distances. Sa fortune, il l'avait compris, ne la retiendrait pas. C'était même sans doute une pierre d'achoppement dans le développement de leur liaison.

— Je te rappelle que c'est toi qui as abordé le thème du mariage, lui rappela-t-elle pour sa défense.

— Du mariage et de la maternité, concéda-t-il, beau joueur. C'est vrai.

— Bon. Ce sont donc deux affaires réglées !

Elle avait dit cela du ton de la plaisanterie, mais Peter sentit qu'elle ne souhaitait pas poursuivre cette conversation. Soupçon qu'elle confirma en changeant un peu trop rapidement de sujet.

— Je n'ai jamais assisté à une course hippique. Raconte-moi comment ça se passe. Parle-moi de tes chevaux.

Il s'exécuta de bonne grâce, et Erin l'inonda bientôt de questions supplémentaires non seulement sur le sport, mais sur son aspect commercial et financier. Elle semblait réellement intéressée, et Peter répondit du mieux qu'il put à sa curiosité. Le trajet n'en parut que plus court et, lorsqu'ils arrivèrent à Randwick, il songea que personne ne l'avait jamais interrogé aussi intelligemment sur sa passion pour les chevaux. Erin aurait pu être une journaliste de grand talent si elle n'avait pas choisi le métier de maîtresse d'école.

Elle continua de lui poser des questions durant leur déjeuner dans le salon VIP, puis au bar à champagne après cela. Tous les gens qu'ils rencontrèrent — amis, relations, partenaires — parurent adorer Erin et l'énergie positive qu'elle irradiait. Peter était bien placé pour savoir qu'il était impossible de lui résister.

Elle avait le don d'écouter, et ses interlocuteurs se sentaient mis en valeur. Les hommes étaient charmés, les femmes intriguées, la moitié d'entre elles cherchant sans doute désespérément quelque chose à critiquer. Peter pouvait presque lire dans leurs pensées. « Mais qui est cette Erin Lavelle ? »

— Votre nom me dit quelque chose, fit remarquer l'épouse d'un éleveur. Erin Lavelle… J'ai l'impression de l'avoir lu quelque part… Je n'arrive pas à me rappeler où. C'est un très joli nom, en tout cas. Vous êtes actrice ou quelque chose du genre, non ?

Erin se mit à rire, secouant la tête.

— Non. J'ai juste la chance d'accompagner Peter aujourd'hui, répondit-elle évasivement.

Elle lui prit le bras et lui décocha un regard appuyé. Comprenant qu'elle ne voulait pas s'étendre sur le sujet, Peter détourna habilement la conversation. Elle ne voulait peut-être pas révéler qu'elle était institutrice, en présence de la haute société de Sydney.

Comme ils se dirigeaient enfin vers les loges, il lui décocha un sourire engageant et demanda :

— Tu as peur de me mettre mal à l'aise en avouant que tu es une institutrice que j'ai rencontrée dans un parc ? Si c'est le cas, tu as tort. Tu fais un métier formidable. La majorité des gens qui sont là, eux, ne font rien d'utile pour la société. Tu devrais être fière de toi.

Erin haussa les épaules.

— Je fais beaucoup de choses dont je suis fière. C'est juste que je n'aime pas parler de moi, ni de ma vie privée. Je n'aime pas être sous le feu des projecteurs.

Peter soupira. Il se devait d'être honnête avec elle.

— Plus tu passeras de temps avec moi, plus tu risques d'être sous les feux des projecteurs.

— Nous verrons. Pour le moment, la façon dont nous nous sommes rencontrés et ce que je fais dans la vie ne regardent personne.

Peter sentit un instinct protecteur monter en lui lorsqu'il vit l'expression de vulnérabilité qui flottait dans ses yeux, et il résolut de ne laisser personne ennuyer Erin par des questions indiscrètes. Il ne voulait pas qu'elle se sente mal à l'aise, hors de son milieu naturel.

— Nous sommes venus voir les courses, annonça-t-il joyeusement. Alors allons voir les courses !

Ils dénichèrent deux sièges bien placés et Erin se détendit visiblement, regardant avec animation autour d'elle. Il lui détailla les couleurs des casaques et leur signification comme les chevaux entraient sur la piste.

Le départ fut donné. Erin paraissait captivée par le spectacle, légèrement penchée en avant, les coudes sur les genoux, les yeux rivés sur les chevaux.

Mais elle ne bondit pas sur ses pieds, comme la majorité de la foule, lorsqu'ils se présentèrent au dernier virage. Même durant le galop final, elle continua de fixer la piste calmement, alors qu'une immense clameur résonnait dans l'hippodrome.

Lorsque la course prit fin, et qu'Erin resta dans la même position, Peter comprit que son imagination galopait loin de là. Elle était absorbée dans un univers de sa création, complètement oublieuse de son environnement, des cris de joie ou de déception qui montaient des gradins.

— Erin…

Il n'eut pas de réponse. Il se pencha pour lui prendre la main et elle tressaillit, tournant vers lui un regard vague et confus.

— Où étais-tu ? demanda-t-il avec amusement.

— Oh !

Elle rougit comme elle seule savait le faire, l'air gêné.

— Je suis désolée. Ça m'arrive parfois. Je déconnecte. Je ne l'ai pas fait exprès.

Peter fronça les sourcils, mais elle lui tapota le bras avec un sourire rassurant.

— Ce n'est pas ta faute, ne t'inquiète pas ! J'adore ta compagnie. C'est à cause des chevaux. Ils sont tellement merveilleux que ça m'a fait penser…

Elle s'interrompit et se mordit la lèvre. Son visage exprimait un combat intérieur, comme si elle hésitait à révéler quelque chose. Résolu à percer ce mystère, Peter déclara :

— Je n'ai pas besoin d'être le centre de ton attention, Erin. Ne t'inquiète pas pour ça. Je suis juste curieux de savoir ce qui pouvait te captiver à ce point.

Erin soupira profondément et fit la grimace.

— J'ai beaucoup d'imagination, c'est tout. Parfois, elle m'emporte. Je sais que ça peut paraître déconcertant de l'extérieur. Excuse-moi. Je suis de retour dans ton monde, d'accord ? conclut-elle avec un grand sourire.

Par opposition à son monde à elle ? Un monde dont elle lui refusait l'accès, qu'elle ne voulait pas partager avec lui ?

— Et que se passait-il dans ton imagination ? insista-t-il.

Son regard se voila aussitôt, se fit méfiant, et Peter la sentit qui se refermait comme une huître.

— Juste une idée pour une histoire.

Puis elle se leva un peu trop précipitamment et ajouta :

— J'ai besoin d'aller me repoudrer le nez. Si tu veux bien m'excuser…

Il se leva à son tour dans l'intention de l'accompagner jusqu'au restaurant, mais elle le distança et disparut dans la foule. Peter soupira, conscient d'avoir commis une nouvelle erreur.

Une erreur qui avait le mérite de révéler la vision qu'Erin avait de leur couple. Ils venaient de deux mondes différents et, pour elle, il était inconcevable que ces deux mondes se mélangent.

Ce qui sous-entendait qu'elle n'envisageait pas une relation de long terme avec lui. Et peut-être avait-elle raison.

Mais son instinct soufflait à Peter de se battre pour la garder, sous peine de passer à côté de quelque chose d'unique.

Un sourire se dessina sur ses lèvres.

Se battre ?

Parfait. C'était sa spécialité.

D'incroyables chevaux ailés peuplaient l'esprit d'Erin tandis qu'elle se dirigeait un peu distraitement vers les toilettes. Il y en avait cinq : un blanc, un gris, un noir, un bai, un alezan. Les Mythiques Chevaux de… de… Mirrima. Oui, cela sonnait bien. Ils constitueraient la base d'un conte merveilleux.

Elle était en train d'en écrire le début dans sa tête lorsque Peter l'avait rappelée à la réalité. Evidemment, l'endroit était mal choisi pour commencer un nouveau livre, mais Erin voulait jeter quelques idées sur le papier de peur de les oublier. Heureusement, elle avait transféré toutes ses affaires dans le sac à main qu'elle avait acheté chez David Jones, y compris son précieux petit carnet.

Elle le sortit dès qu'elle pénétra dans les toilettes et se mit à écrire. Elle sentait l'inspiration monter, mais elle la bloqua délibérément une fois ses concepts de base notés. Peter Ramsey était sa priorité, aujourd'hui, et elle ne voulait pas risquer de le vexer.

Ce qu'elle avait sans doute fait en oubliant complètement sa présence quelques instants plus tôt. A sa place, elle n'aurait guère apprécié. Elle devait faire attention sous peine de perdre un homme extraordinaire, bien réel et bien plus intéressant que tout ce qui pouvait sortir de son imagination. Leurs différences finiraient sûrement par avoir raison de leur relation tôt ou tard, mais autant que ce soit le plus tard possible.

— Vous notez les performances de Peter Ramsey ? fit une voix dans son dos.

Le ton moqueur hérissa instantanément Erin, et elle se retourna pour faire face à une blonde sculpturale, vêtue d'une spectaculaire création de ColLette Dinnigan. L'autre la dévisageait avec une telle inimitié qu'elle ne sut d'abord que répondre.

— Peut-on savoir où il vous a trouvée ? reprit la blonde avec mépris.

Erin recouvra enfin ses esprits.

— Excusez-moi, avons-nous été présentées ?

— Puisque Peter m'évite, aujourd'hui, non, nous n'avons pas été présentées. Je suis Alicia Hemmings. Son ex.

A l'évidence, la dénommée Alicia Hemmings avait fort mal pris la rupture, ce qui expliquait qu'elle cherche la confrontation. Erin ne put s'empêcher de se demander ce qui avait provoqué la séparation. Alicia Hemmings s'était-elle montrée trop cupide, demandant toujours plus ? Ou Peter s'était-il simplement lassé d'elle ?

— C'est la première fois que je vous vois ici. Vous ne fréquentez pas le coin, d'habitude…

C'était un constat plus qu'une question, mais Erin haussa les épaules.

— J'ai passé beaucoup de temps loin de Sydney.

— Il vous a ramenée de Londres, c'est ça ?

Alicia était visiblement décidée à ne pas s'arrêter là. Mais quoi qu'elle cherche à savoir, Erin n'avait aucune intention de lui répondre.

— Ça ne vous regarde pas. Si vous voulez bien m'excuser…

— Je suppose que ça vous a impressionnée, un milliardaire comme lui, enchaîna l'autre, tandis qu'Erin rangeait en hâte son carnet. Mais laissez-moi vous dire qu'il n'aime pas les mauvaises habitudes, alors vous avez intérêt à ne pas trop mettre le nez dans la poudre si vous voulez qu'il vous garde.

— P-Pardon ?

— Ne faites pas l'innocente. La cocaïne et l'ecstasy circulent pas mal dans les soirées londoniennes. Je suis bien placée pour le savoir.

— Vous voulez dire que Peter… se drogue ?

— Justement non, au contraire, et il ne tolère pas qu'on en prenne. C'est un vrai tyran. Autant que vous le sachiez.

— Merci ! répondit Erin avec un grand sourire.

Satisfaite d'avoir dispensé son poison, Alicia s'écarta pour la laisser passer. Erin regagna le bar et sentit un frisson d'excitation la parcourir lorsqu'elle aperçut Peter en compagnie d'un petit groupe de gens, près du comptoir. Son corps, tel un diapason, se mit à vibrer en réponse à un stimulus invisible. Il était magnifique, dominant la foule de la tête et des épaules, suprêmement élégant dans son costume gris.

Erin n'avait qu'une envie : qu'il la prenne dans ses bras et lui fasse l'amour, encore et encore. Son désir lui brouillait tant l'esprit qu'elle ne remarqua pas tout de suite la tension avec laquelle il l'étudiait, lorsqu'elle traversa la salle et le rejoignit enfin.

— Tout va bien, Erin ?

Pensant qu'il faisait allusion à son moment d'absence durant la course de chevaux, elle leva les yeux au ciel et acquiesça.

— A merveille, oui. Je t'ai dit que ce n'était qu'un petit moment de distraction.

— Tu n'as pas fait une rencontre désagréable dans les toilettes ?

— Oh, ça ! fit-elle en riant. Rassure-toi, cela ne m'a guère troublée, même si je dois dire que ton ex n'est pas la personne la plus agréable que j'aie rencontrée.

Son compagnon eut une grimace contrite.

— J'ai vu Alicia s'engouffrer à ta suite dans les toilettes. J'étais trop loin pour intervenir.

— Ne t'en fais pas pour ça.

Avec un sourire, Erin lui prit le bras et déclara joyeusement :

— Retournons dans les loges. La prochaine course va bientôt commencer.

— Rien de ce qu'elle a dit ne t'a affectée ? insista Peter, tout en se laissant entraîner.

— Par quoi devrais-je être affectée ?

— Justement. J'aimerais bien savoir ce qu'elle a pu raconter sur mon compte.

Erin acquiesça, comprenant sa curiosité. L'idée que quelqu'un ait pu dire du mal de lui dans son dos n'était guère plaisante.

— Elle a dit que tu ne prenais jamais de drogues et que tu étais un vrai tyran. Comme je n'ai pas envie de me bousiller le cerveau avec de quelconques substances chimiques, je suis ravie du premier point. Quant au second, ce n'est pas quelque chose que j'ai remarqué. Tu as sûrement une petite propension à l'autoritarisme, mais tant que celle-ci est sous contrôle, ça reste supportable.

— Merci bien ! s'exclama Peter.

Puis il partit d'un grand rire, la couvant d'un regard appréciateur. Erin sentit une bouffée de plaisir l'envahir et soutint son regard longuement.

Ce fut alors qu'elle comprit.

Elle venait bel et bien de tomber amoureuse de Peter Ramsey. Cette impression de chaleur quand il la regardait, ce bonheur intense quand il riait à l'un de ses traits d'esprit… Ce n'était pas seulement sexuel.

Il y avait autre chose. Une alchimie profonde entre eux, une connexion invisible, physique et mentale à la fois. Et c'était effrayant !

Une sueur froide perla sur son front, et elle fit de son mieux pour réprimer un accès de panique.

Le mode de vie de Peter et le sien étaient incompatibles. Ils évoluaient dans deux mondes trop différents.

Puis, dominant la panique, une farouche résolution monta du plus profond d'elle-même.

« Profite de ces moments magiques, fais-les durer le plus possible. »

Oui, songea-t-elle, pourquoi se soucier de la suite ? Ni elle ni Peter ne pouvaient savoir quand ils écriraient le mot « Fin ».

8.

La sonnerie insistante du téléphone lui fit ouvrir un œil. Peter décrocha en hâte, soucieux de ne pas réveiller Erin. La nuit avait été longue et torride, et leur désir mutuel leur avait valu de ne s'endormir qu'à l'approche de l'aube, épuisés, toujours dans les bras l'un de l'autre.

Le radio-réveil indiquait 8 h 01, et il soupira en reconnaissant la voix de sa mère. Couvrant le combiné d'une main, il se leva aussi discrètement que possible, sortit de la chambre et referma doucement la porte derrière lui.

Il n'appréciait guère d'être réveillé si tôt un dimanche matin, mais il fit de son mieux pour réprimer son irritation lorsqu'il ôta enfin sa main du combiné.

— Qu'est-ce que tu veux, maman ? C'est une urgence ?

Il y eut un court silence, puis sa mère reprit :

— Tu ne m'as pas écoutée, Peter ?

— Je viens à peine de me réveiller, maugréa-t-il.

— Tu ne sais donc pas qu'Erin Lavelle et toi êtes en première page des journaux ? Une grande photo couleur !

— Au nom du ciel ! Ils n'ont rien d'autre à se mettre sous la dent ? Il n'y a donc rien de plus important dans le monde ?

Il se rappelait fort bien les photographes qui les avaient mitraillés après la victoire de son cheval. Dans l'excitation du moment, il avait oublié de protéger Erin.

— Mais ce n'est pas n'importe qui, cette fois !

— Qu'est-ce que ça veut dire ?

Peter étouffa un bâillement et s'étira. Quelles histoires les paparazzi avaient-ils bien pu inventer, cette fois ? Que pouvaient-ils trouver à dire sur une institutrice ?

— J'aimerais beaucoup faire sa connaissance, Peter. Pourquoi ne viendriez-vous pas déjeuner aujourd'hui ?

L'enthousiasme de sa mère le prit totalement de court. Cette dernière n'était pas du genre à inviter quiconque aussi rapidement. Surtout ses petites amies, qu'elle ne daignait recevoir qu'après plusieurs mois.

— Pourquoi veux-tu la rencontrer ? demanda-t-il, méfiant. Ça ne fait que deux jours que nous sortons ensemble.

— Parce qu'elle m'a l'air de quelqu'un d'assez peu ordinaire. Imagine le nombre d'enfants qu'elle a fait rêver dans le monde. Ils s'arrachent ses livres.

Ses *livres* ?

Il fallut quelques secondes à Peter pour digérer l'information, et comprendre enfin. Erin n'était pas institutrice. Sa tante dirigeait la maternelle, raison pour laquelle elle avait sans doute accepté de venir raconter une histoire aux enfants, ce jour-là.

Une histoire qu'elle avait écrite elle-même !

Erin savait pertinemment qu'il l'avait prise pour une enseignante. Pourquoi ne lui avait-elle pas dit la vérité ? Les occasions n'avaient pas manqué. Il avait évoqué la princesse du Pays de Toujours lors de leur dîner au Titanic Thaï, par exemple. Elle avait répondu que c'était l'une de ses histoires préférées, mais s'en était tenue là. La veille, au champ de courses, lorsqu'on l'avait interrogée sur son nom, elle aurait pu avouer qui elle était vraiment. Même chose lorsqu'il l'avait surprise en pleine inspiration, pendant la course elle-même.

S'il y avait une chose que Peter détestait plus que tout, c'était le mensonge. Pourquoi lui avait-elle caché sa véritable identité ? Et ce à plusieurs reprises ?

— Peter ? reprit sa mère comme il ne répondait pas.

— Je… je vais devoir en parler à Erin.

— Bien sûr. Rappelle-moi dès que tu as une réponse.

Peter raccrocha, rentra dans la chambre et, après s'être assuré qu'Erin dormait toujours, passa un simple caleçon. Puis il utilisa l'ascenseur pour descendre dans le salon, où l'attendait le journal du jour.

Non, le doute n'était plus permis.

La première page les montrait tous les deux à Randwick. Erin flattait l'encolure de la jument victorieuse. Debout derrière elle, Peter lui souriait. Il nota qu'elle avait la tête légèrement penchée en avant, et que son chapeau dissimulait une partie de son visage. L'avait-elle fait exprès ? Si c'était le cas, cela avait été en vain. Son nom avait suffi à exciter les paparazzi.

« Aussi célèbre que solitaire, l'écrivaine Erin Lavelle apparaît en public en compagnie du milliardaire Peter Ramsey », disait la première ligne.

Solitaire… Cela expliquait-il la réticence d'Erin à révéler son identité ? Mais pourquoi une telle discrétion ? Il était sûrement dans l'intérêt d'un artiste d'avoir un maximum de publicité, non ?

Pensif, il alla s'installer dans son bureau et poursuivit sa lecture. Le premier livre d'Erin avait été un succès phénoménal, tout comme les divers produits dérivés qui en avaient été tirés. Ses livres suivants avaient connu le même succès et avaient été épuisés presque dès leur sortie malgré des tirages importants. Mais jamais elle n'avait donné d'interview. A en croire son agent, elle avait fait savoir que ses histoires « parlaient d'elles-mêmes ».

Peter secoua la tête, médusé. L'article se poursuivait par le déballage habituel sur son compte, la liste de ses petites amies les plus connues, l'énumération de ses intérêts dans le monde, etc. L'auteur concluait que c'était son compte en banque qui avait convaincu Erin de sortir de sa réclusion, ce qui était parfaitement ridicule. Sa fortune à elle ne devait pas être loin de la sienne !

Avide d'en savoir davantage, il alluma son ordinateur et lança une recherche sur internet. Elle n'avait pas de site personnel, mais il trouva celui de son éditeur, de son agent, ainsi que de nombreux articles. Erin Lavelle était immensément célèbre. Pourtant, elle avait choisi de vivre dans l'ombre…

« Je n'aime pas être sous le feu des projecteurs », avait-elle affirmé. Elle n'allait pas apprécier de se voir en première page. Et Peter comprenait son désir de protéger sa vie privée. Mais qu'elle ne lui eût pas dit qui elle était vraiment ne pouvait vouloir dire qu'une chose : qu'elle avait dès le départ considéré leur relation comme un interlude, une distraction sans lendemain.

Un sentiment de frustration monta en lui. Il voulait des réponses, et il les voulait maintenant. Tendu, furieux, et prêt à la confrontation, il agrippa le journal et remonta quatre à quatre l'escalier.

Il fit irruption dans la chambre, mais y trouva le lit vide. S'était-elle enfuie pendant qu'il était dans le bureau ?

Non, constata-t-il aussitôt. Ses vêtements étaient toujours par terre, là où ils les avaient laissés dans leur hâte à se déshabiller.

— Erin !

Il avait presque crié, et il se força à se calmer. La colère était mauvaise conseillère. Erin devait être dans la salle de bains. Elle n'allait pas tarder à en sortir.

De fait, la porte s'ouvrit presque au même instant, et la jeune femme apparut, enveloppée dans une serviette, des gouttelettes perlant encore sur ses jambes et ses épaules nues.

— Bonjour ! J'étais en train de me sécher. Je ne t'ai pas trouvé quand je me suis réveillée. J'ai décidé de prendre une douche en t'attendant.

Puis, baissant les yeux sur sa main, elle enchaîna :

— Tu es sorti acheter le journal ?

Tout semblait si naturel, si normal, que Peter fut pris d'une envie irrationnelle de tout oublier et de lui faire l'amour sur-le-champ. Mais il se rappela qu'elle lui avait menti, au moins par omission. Combien de temps aurait-elle fait durer ce petit jeu ?

— Ma mère m'a appelé. Elle m'a demandé si tu voulais venir déjeuner, annonça-t-il, curieux de voir sa réaction.

— Ta mère ? répéta-t-elle, visiblement surprise. Mais… quand lui as-tu parlé de moi ?

Il était impossible de dire si l'invitation et la perspective de rencontrer sa famille lui faisaient plaisir ou non. Peter décida qu'il perdait son temps à essayer de lire dans son esprit, et qu'il ferait mieux de jouer cartes sur table.

— Je ne lui ai pas parlé de toi, fit-il en dépliant le journal devant elle. Les journaux l'ont fait !

Erin pâlit.

La colère émanait de Peter en ondes presque tangibles. C'était comme si une main de fer lui broyait le cœur, et elle sut que quelque chose n'allait pas avant même de voir la photo étalée en pleine une.

Elle comprit brutalement que son idylle avec Peter était terminée.

Il n'avait pas apprécié d'apprendre qu'elle était un auteur célèbre. Elle lui avait volé la vedette, et c'était une chose qu'il ne pouvait accepter.

Il n'y avait rien d'étonnant à cela : tous ses précédents compagnons avaient réagi ainsi. Oh, certains arrivaient bien à prétendre qu'ils se moquaient de sa célébrité, mais le masque finissait toujours par tomber.

Une voix féroce et moqueuse lui souffla que Peter, malgré tous ses milliards, n'était pas différent des autres. Il n'était pas prêt à accepter sa notoriété.

— Je suppose que tu me préférais en cendrillon séduite par le Prince charmant ? ironisa-t-elle.

Le visage de Peter se durcit aussitôt.

— Pas particulièrement, non. Ce que je préfère, c'est l'honnêteté.

— C'est toi qui as commencé ce petit jeu, lui rappela-t-elle. En proposant d'être mon prince. Et je me suis laissé entraîner parce que j'ai pensé que tu l'étais peut-être vraiment.

Elle le vit crisper la mâchoire, le regard brûlant de ressentiment.

— A ceci près que je ne t'ai pas menti. Tu savais qui j'étais dès le départ.

Erin soupira. Ce n'était pas la première fois qu'elle était en butte à ce genre de fierté masculine blessée. Elle savait qu'il n'y avait aucun remède à cela, à moins d'accepter de passer au second plan, de servir les intérêts de l'autre avant les siens. Et c'était une chose qu'elle se refusait à faire. Elle ne renoncerait pas à ce qu'elle était, fût-ce pour Peter Ramsey.

Les larmes aux yeux, elle se détourna et entreprit de rassembler ses affaires éparses. Autant faire une sortie rapide et digne, décida-t-elle.

— Je suppose que ta mère n'aurait jamais demandé à me rencontrer si je n'avais pas été célèbre ! dit-elle presque malgré elle.

Il la dévisagea en silence, les poings serrés. Il n'avait rien à répondre à cela. La tête haute, Erin se dirigea vers la salle de bains, les bras chargés de vêtements. Elle avait peine à croire que cette même pièce avait été, quelques heures plus tôt, le cadre des moments les plus intenses de sa vie. Ce matin, les murs semblaient suinter la tristesse.

— Bon sang, Erin, tu aurais pu me le dire ! explosa enfin son compagnon.

Elle s'arrêta, se retourna et se força à affronter son regard.

— Ça aurait changé notre relation. La preuve…

— Et tu espérais garder la chose secrète longtemps ? Tu pensais que je n'apprendrais jamais la vérité ? De quoi avais-tu peur, au juste ?

— Toutes mes relations ont été gâchées par ma notoriété, à un moment ou à un autre. L'ironie, c'est que je me moque parfaitement d'être célèbre et riche. Tout ce que j'aimerais, c'est pouvoir mener une vie tranquille et anonyme, au lieu d'être considérée comme un singe savant par des gens tels que ta mère !

— Ce n'est pas vrai ! Ma mère t'aurait respectée !

— Dans ce cas, j'espère que tu feras de même quand je t'aurai dit qu'il vaut mieux que nous en restions là.

Elle pénétra dans la salle de bains et referma la porte en hâte, puis s'y adossa pour réprimer une soudaine nausée. Elle détestait être célèbre. Mais elle ne pouvait rien y faire. Elle adorait écrire, sentir l'inspiration irrépressible, enivrante monter et guider sa main sur le papier. Elle adorait le sourire des enfants, la reconnaissance qu'elle lisait dans leurs yeux. Et, s'il y avait un prix à payer pour ça, elle l'assumerait.

Le problème, c'était qu'une autre partie d'elle-même — l'enfant solitaire — ne demandait qu'à être aimée, chérie, protégée. Mais elle n'avait jamais trouvé la personne capable de lui offrir tout cela. Et il lui fallait bien admettre que ce ne serait pas Peter Ramsey.

Le moral en berne, Erin entreprit de s'habiller. Elle décida de remettre la robe verte du premier soir, songeant qu'elle serait plus susceptible d'être reconnue si elle portait la même tenue qu'à Randwick. Elle fourra cette dernière dans le sac de David Jones et transféra ses affaires personnelles de son nouveau sac à main à l'ancien.

Elle eut un sourire triste en voyant son carnet de notes.

Les Chevaux mythiques de Mirrima auraient le mérite de l'occuper pendant plusieurs mois. Cela l'empêcherait de ruminer sur ses rêves brisés, sur l'espoir fou que cette relation avait fait naître en elle avant de se terminer comme toutes celles qui l'avaient précédée.

Elle prit une profonde inspiration, se préparant à affronter Peter une dernière fois. « Ne t'attarde pas », lui commanda sa petite voix intérieure. « Sois digne, ne pleure pas, et ne te laisse pas entraîner dans une nouvelle dispute. C'est fini. »

Mais Peter n'était pas dans la chambre quand elle émergea de la salle de bains. Erin, quelque peu déroutée, s'accorda quelques secondes de réflexion pour décider de la marche à suivre. L'attendait-il en bas, dans le salon ? Ou avait-il quitté les lieux, estimant qu'ils n'avaient plus rien à se dire ?

Abattue, elle laissa son regard dériver lentement vers la terrasse. Son cœur bondit dans sa poitrine.

Il était là, dehors !

Etait-il en train de se remémorer ce qu'ils avaient fait à ce même endroit, deux jours plus tôt ?

Il ne portait toujours qu'un caleçon noir moulant, et rien d'autre. Le dos tourné, les mains sur la rambarde, il fixait l'océan. Tous les muscles de son corps paraissaient tendus. Il était fort, puissant, mais Erin se rappela qu'il savait aussi être tendre. C'était l'amant parfait.

Elle ferma les yeux, assaillie par le souvenir de ses mains sur sa peau, de ses lèvres contre les siennes. Jamais elle n'oublierait cet homme. Ils avaient partagé quelque chose d'unique. Ils avaient vécu un fantasme. Mais leurs étreintes avaient été bien réelles.

Si elle le rejoignait sur le balcon et le touchait, comme elle l'avait touché cette première nuit, oublierait-il sa célébrité ?

Encore un fantasme, songea-t-elle aussitôt, amère. A

présent qu'il savait la vérité, rien ne serait plus jamais pareil.

Avec un soupir, elle rouvrit les yeux. Peter n'avait pas bougé d'un iota. Devait-elle y voir un message ? « Pars, je n'ai plus envie de te voir. »

C'était sans doute la chose la plus sensée à faire, mais elle voulait au moins lui dire au revoir. Peter n'était pas un homme mauvais, il ne supportait simplement pas l'idée qu'une femme puisse faire de l'ombre à son ego.

Elle s'avança donc vers le balcon, mais s'arrêta avant de franchir la baie vitrée.

— Peter ? appela-t-elle à mi-voix, espérant que sa colère s'était calmée.

Il se tourna lentement, croisa les bras et la détailla des pieds à la tête, sans mot dire. Son regard était si froid qu'elle sentit un frisson lui remonter le long de l'échine.

— La soirée à laquelle tu étais censée te rendre vendredi, fit-il en désignant sa robe, c'était aussi un mensonge ?

— Oui, reconnut-elle. Je voulais te plaire, mais tu n'as pas eu l'air ravi de me voir quand je suis arrivée au restaurant. J'ai donc inventé la première chose qui m'est passée par la tête. Je ne voulais pas que tu croies que j'en avais après toi.

Il acquiesça, comme si cela ne faisait que confirmer ce qu'il pensait d'elle.

— En gros, tu voulais t'amuser avec moi.

Erin fronça les sourcils, piquée au vif.

— Je voulais que l'homme que j'avais rencontré dans le parc me trouve séduisante, c'est tout. Je n'ai pas songé à « m'amuser », comme tu dis.

— Pourtant, tu n'as, à aucun moment, donné sa chance à notre relation. Sans quoi tu m'aurais dit la vérité. Et, maintenant, tu décides de partir parce que tu as eu ce que tu voulais.

— C'est faux. J'espérais que ça marcherait, entre nous.

— Oh, vraiment ? En fondant notre couple sur le

mensonge ? Chaque fois que j'ai essayé de mieux te connaître, tu t'es fermée. Tu m'as repoussé.

Erin comprenait son point de vue, mais elle avait eu des raisons d'agir comme elle l'avait fait.

— Parce que j'essayais de profiter du moment, se défendit-elle. De ce qu'il y avait entre nous, entre un homme et une femme. Pas entre un milliardaire et une écrivaine à succès.

— Mais tu as toujours pensé qu'il y aurait une fin. Tu ne m'as pas fait confiance, tu ne m'as pas cru capable d'accepter ta célébrité.

Erin eut un sourire triste. Elle avait eu cette conversation bien des fois. Et la conclusion avait toujours été la même. C'était parfois une question de jours, parfois de semaines, mais elle s'était toujours retrouvée seule. Les hommes prétendaient qu'ils n'avaient pas de problème à accepter sa célébrité, mais tous se sentaient profondément atteints dans leur virilité.

— Ecoute, Peter, je voulais juste te remercier pour tout. Nous avons eu des moments merveilleux.

De nouveau, il lui retourna ce regard d'un bleu arctique, vide de toute émotion. Sous l'effet de la colère, il avait déjà oublié l'intensité de ce qu'ils avaient partagé.

— Au revoir, murmura-t-elle, comprenant qu'il n'ajouterait rien.

Elle tourna les talons et dut faire appel à toute sa volonté pour ne pas courir. Ses jambes vacillaient, mais elle atteignit la porte sans tomber. Elle pria pour que Peter ne sorte pas du silence dans lequel il s'était muré, ce qui aurait rendu les choses plus difficiles.

Elle fut exaucée et quitta la chambre dans un silence chargé, vibrant d'amertume et de ressentiment.

Non, tous les contes de fées n'avaient pas une fin heureuse.

9.

Une distraction. Il n'avait été pour Erin qu'une simple distraction.

Peter bouillait de colère à cette idée. Il n'avait rien représenté pour elle. Sans quoi elle ne l'aurait pas aussi facilement quitté à la première anicroche. Elle s'était bien amusée, avait satisfait quelques fantasmes au passage, puis avait pris la poudre d'escampette.

Le pire, c'était qu'il aurait pu le prévoir. Son arrogance, la certitude de plaire à celle qu'il prenait pour une maîtresse d'école l'avaient aveuglé. Il avait ignoré tous les signes. La façon dont Erin s'était habillée le premier soir, par exemple. Le fait qu'elle n'avait pas hésité un instant lorsqu'il avait proposé de la ramener chez lui. Même son silence serein, durant le trajet, aurait dû lui faire comprendre qu'il faisait exactement ce qu'elle voulait.

Les moments merveilleux qu'ils avaient passés ensemble étaient à présent souillés. Car elle ne s'était jamais intéressée à lui que pour son physique, et selon des règles qu'*elle* avait édictées.

Mais, une nouvelle fois, il ne pouvait s'en prendre qu'à lui-même. Erin l'avait prévenu. « Je ne t'appartiens pas ». Elle avait refusé ses cadeaux, refusé de répondre aux questions trop intimes, avait même profité de la journée passée au champ de courses pour songer à un nouveau livre. Peter était la dernière chose qu'elle avait en tête.

Une distraction.

Jamais de sa vie il ne s'était senti si petit, si insignifiant…

Il attendit un long moment après son départ, pour être sûr qu'elle avait bien trouvé un taxi pour rentrer chez elle. Tiens, voilà une autre chose qu'elle lui avait cachée : il n'avait aucune idée de l'endroit où elle habitait. Oh, elle avait été habile, il devait le reconnaître.

Lorsqu'il fut bien certain qu'il ne la croiserait pas en bas de l'immeuble, il fourra quelques affaires dans un sac et partit pour son club de sport. Rien de tel qu'un bon effort physique pour lui faire oublier sa colère et sa frustration.

Lorsqu'il en émergea deux heures plus tard, épuisé et tout aussi frustré, son portable se mit à sonner. Le numéro de sa mère s'afficha sur l'écran, et Peter étouffa un juron.

— Désolé, maman, dit-il en décrochant. J'ai complètement oublié de te rappeler. Nous ne pouvons pas venir déjeuner. Erin… Erin n'est pas disponible.

— Oh… J'avais tellement envie de la rencontrer. Quand pourrons-nous faire sa connaissance ?

Peter fit la grimace, puis soupira.

— Vous ne ferez pas sa connaissance. Nous nous sommes disputés ce matin. C'est fini entre nous, conclut-il avec brusquerie, désireux de ne pas s'attarder sur le sujet.

— Oh, non… Juste quand je pensais que tu avais enfin trouvé quelqu'un de bien, se lamenta sa mère. Ses histoires sont tellement merveilleuses. Elle avait l'air d'être une femme de cœur…

Une femme de cœur ? Ce n'était pas une qualité dont elle avait fait preuve avec lui !

— Et la façon dont elle écrit, poursuivit sa mère. C'est le signe d'une vraie beauté intérieure. Je comprends qu'elle t'ait attiré, Peter. Extérieurement aussi, c'est une très belle femme. Pourquoi l'as-tu laissée partir ?

Peter grinça des dents, mais répondit calmement :

— Il se trouve que ce n'est pas moi qui l'ai fait partir. C'est elle qui l'a décidé.

— Pourquoi ? Qu'est-ce que tu as fait ?

Il leva les yeux au ciel. Pourquoi sa mère supposait-elle automatiquement que c'était sa faute ?

— Ecoute, je n'ai pas vraiment envie de parler de ça.

— C'est toute cette publicité, n'est-ce pas ? Elle ne s'est pas rendu compte que le fait d'être avec toi attirerait l'attention des médias ?

Peter avait atteint sa voiture, et il répéta sèchement :

— Je ne veux pas en parler. A plus tard, maman.

Puis il raccrocha, glissa le téléphone dans sa poche, déverrouilla les portes de la BMW et s'installa au volant. Il se rendit compte qu'il n'avait aucune envie de rentrer chez lui, où le fantôme d'Erin l'attendait.

Direction le yacht-club, décida-t-il. Faire un peu de voile l'aiderait à se distraire et à oublier la princesse du Pays de Toujours.

Au cours des semaines qui suivirent, Peter travailla d'arrache-pied. Ses affaires occupaient ses journées, sa vie sociale ses soirées, le sport — squash, tennis, polo — ses week-ends. Il éluda habilement les questions sur Erin en affirmant qu'elle n'était qu'une amie qu'il avait emmenée à Randwick, car elle n'avait jamais assisté à une course de chevaux. Fin de l'histoire.

C'était un mensonge. Et il détestait le mensonge.

Il en souffrait d'autant plus qu'il n'arrivait pas à oublier Erin. Les autres femmes ne l'intéressaient pas, lui semblaient fades et ternes. Il ne voulait pas d'une autre dans son lit.

La remarque de sa mère — sur le fait qu'Erin était belle à l'intérieur comme à l'extérieur — commença à le hanter, lui rappelant tout ce qu'il avait aimé chez elle. Avait-il fait une erreur en réagissant aussi violemment à ce qui n'était qu'un légitime désir de discrétion, d'anonymat de sa part ? Lui-même n'avait-il pas, le jour de leur rencontre dans le parc, rechigné à révéler sa véritable identité ?

« Juste un homme et une femme », avait-elle dit. Qu'y avait-il de mal à cela ?

Erin était assise à son bureau, les yeux rivés sur un moniteur éteint. Elle n'avait aucune raison de l'allumer, car elle savait qu'il lui serait impossible de travailler aujourd'hui. Elle se demandait même ce qu'elle faisait là, devant son ordinateur. L'habitude, sans doute. Le bien-être que lui procurait l'endroit où elle avait écrit tant de livres.

Mais, aujourd'hui, une idée fixe lui occupait l'esprit, chassant toutes les autres.

Enceinte.

Elle n'avait pas reconnu les symptômes. Comment l'aurait-elle pu, d'ailleurs ? C'était bien la dernière chose à laquelle elle s'était attendue. Elle avait attribué ses nuits agitées à sa rupture avec Peter Ramsey, et au fait qu'elle ne cessait de penser à lui. Et les nausées matinales aux tablettes de chocolat dans lesquelles elle avait puisé à plusieurs reprises un peu de réconfort.

Lorsqu'elle n'avait pas eu ses règles, elle avait d'abord cru à un décalage de son cycle. Elle avait quand même préféré demander confirmation à son médecin pour s'assurer qu'il n'y avait rien de grave.

Mais, même alors, jamais elle n'aurait soupçonné qu'elle pourrait être…

Enceinte !

Elle allait être mère !

Et Peter Ramsey était le père du bébé.

La pilule était sûre à quatre-vingt-dix-neuf pour cent. Cela s'était joué à un pour cent. Un tout petit, minuscule pour-cent. En deux nuits d'intense activité sexuelle, ils avaient basculé du mauvais côté des statistiques. C'était aussi extraordinaire que ce qu'ils avaient vécu.

Malheureusement, l'entente sexuelle ne suffisait pas à bâtir une relation durable. Le problème fondamental, c'était l'ego de Peter. Il ne voulait pas se voir voler la vedette. Et même si Erin n'en avait pas l'intention, même si elle se serait contentée d'un parfait anonymat, elle savait que la presse ne leur laisserait pas de répit. Ils ne seraient jamais un homme et une femme comme les autres. Plus elle essaierait d'éviter les paparazzi, plus elle se rendrait intéressante à leurs yeux. Le problème ne disparaîtrait pas, malgré toute sa bonne volonté.

Et ce nouveau problème ne disparaîtrait pas davantage. Elle allait avoir l'enfant de Peter Ramsey. Bien sûr, il allait croire qu'elle lui avait menti en affirmant prendre la pilule.

Si elle lui disait la vérité…

Pourrait-elle garder le secret ? Ils vivaient dans des mondes si différents… Il y avait fort à parier qu'à moins de le vouloir, elle ne le reverrait jamais.

Mais il y aurait toujours quelqu'un pour parler, pour révéler qu'elle avait un enfant, avec ou sans mauvaise intention. Il ne faudrait pas longtemps à Peter pour additionner deux et deux. Il se battrait pour obtenir la garde du bébé.

De toute façon, elle n'était pas capable de faire une chose pareille. C'était immoral, vis-à-vis non seulement de Peter, mais du bébé à naître. Un enfant se devait de connaître son père.

Non, elle devait lui dire la vérité, tenter de trouver un accord avec lui. Avec un peu de chance, il ferait passer l'intérêt de son fils ou de sa fille avant le sien. Erin et lui pourraient oublier leurs différences et trouver un arrangement. Certes, ils ne seraient jamais des parents normaux, mais c'était mieux que rien.

Elle était prête à faire cet effort. Presque machinalement, elle ouvrit le tiroir supérieur de son bureau et en tira la carte que Peter lui avait donnée dans le parc. Erin l'avait ramassée — après que Sarah l'avait montrée à Mme Harper —, et l'avait gardée précieusement depuis. Pourquoi, elle n'en savait rien. Mais elle n'avait pas eu le courage de la jeter.

Elle passa un doigt tremblant sur les lettres de son nom, embossées dans le carton. Peter était un homme puissant, dangereux. Utiliserait-il ce pouvoir contre elle ?

Le doute s'insinua dans son esprit, la peur dans son cœur. Elle n'avait pas besoin de lui dire tout de suite, décida-t-elle. Dans l'immédiat, le plus important était de prendre soin d'elle-même — et du bébé — en veillant à s'alimenter correctement. Cela l'aiderait à mieux dormir. Et elle pouvait faire du sport. Marcher le long de la plage pour se rendre au centre commercial, par exemple. Elle devait également acheter un livre sur la grossesse, vu qu'elle n'y connaissait rien.

Oui, c'était cela le plus important. Le reste pouvait attendre.

10.

Sept mois plus tard...

Erin vérifia que tout était en place pour le rendez-vous : elle avait mis une carafe d'eau au frais, les verres étaient sagement alignés sur la table de la cuisine, le café fraîchement passé — Jane Emerson, son agent, ne buvait rien d'autre — des sachets de thé Earl Grey sortis pour son éditeur, le très britannique Richard Long, et des cookies prêts pour tout le monde.

Le salon était parfaitement rangé, les rideaux ouverts sur les eaux turquoise et le sable blanc de Byron Bay.

Elle avait acheté cette maison quatre ans plus tôt. Elle s'y sentait bien pour écrire, loin de l'agitation des grandes villes de la côte. Si l'équipe du film d'animation basé sur son premier livre la prenait pour une diva parce qu'elle les forçait à se déplacer, elle s'en moquait. Enceinte de huit mois, et décidée à garder la chose secrète le plus longtemps possible, elle n'avait aucune intention de se montrer en public.

Elle savait qu'elle n'échapperait pas éternellement à l'attention des médias. Pas avec Zack Freeman et ses deux oscars à la réalisation du film. Son agent, son éditeur et la société de production allaient exploiter le moindre filon. Mais, d'ici là, elle aurait avoué à Peter qu'elle était enceinte de lui.

Un bruit de moteur la tira de ses réflexions. Il était

241

presque 10 heures, ce qui signifiait qu'il s'agissait sûrement de ses visiteurs. Ils séjournaient au Bay Resort sur Johnson Street, et avaient dû faire connaissance la veille ou ce matin. Erin prit une profonde inspiration et, avec cette démarche propre aux femmes en fin de grossesse — Seigneur, qu'elle avait hâte de retrouver sa silhouette normale ! —, alla ouvrir la porte d'entrée.

Richard et Jane descendaient d'une première voiture, un taxi local. Malgré la chaleur, Jane portait l'un de ses éternels tailleurs noirs, comme si elle était toujours à Londres. Tout aussi formel, Richard portait un costume tout droit venu de Savile Row.

Le regard d'Erin se posa sur la seconde voiture, une Mercedes blanche. Un homme brun, de haute taille et vêtu d'un costume de lin plus approprié à la saison, en descendit le premier. Zack Freeman, en déduisit-elle.

Puis le conducteur mit pied à terre. Plus grand encore, blond, en pantalon de toile et blazer, il se tourna vers la maison, et Erin crut que ses jambes allaient se dérober.

Peter Ramsey !

Son réflexe fut de ne pas en croire ses yeux. Mais c'était bien lui, là, à une cinquantaine de mètres à peine. Cela faisait des mois qu'elle se torturait l'esprit sur la meilleure façon et le meilleur moment de lui annoncer sa grossesse, élaborant stratégie après stratégie, et voilà qu'il faisait irruption dans sa vie quand elle s'y attendait le moins !

Elle savait que, dès l'instant où il la verrait, il comprendrait. Il allait de nouveau l'accuser de lui avoir menti, de lui avoir dissimulé sa grossesse.

« Noooooon » !

Un cri silencieux explosa dans sa tête. Sans réfléchir, elle pivota et s'enfuit dans la maison. Elle remonta aveuglément le couloir, cherchant désespérément un moyen d'éviter la rencontre fatidique.

Hors d'haleine, l'estomac noué et les poumons en feu,

elle ne s'arrêta que devant la baie vitrée qui donnait sur le jardin, les mains crispées sur la poignée.

Une vive douleur dans le dos la força à faire une pause. Mais que faisait-elle ? Toute cette agitation n'était bonne ni pour le bébé ni pour elle. Erin posa son front brûlant sur la vitre, s'efforçant de se calmer. Fuir n'était pas une solution. En ne la trouvant pas, les autres s'imagineraient le pire et lanceraient des recherches. Et puis, par courtoisie, elle ne pouvait pas laisser tomber Jane et Richard, venus d'Angleterre spécialement pour cette réunion.

— Erin ?

C'était Jane.

Elle avait laissé la porte d'entrée ouverte.

Erin entendit ses visiteurs entamer un conciliabule, puis une autre voix, celle de Richard, appela à son tour.

— Erin, tu es là ?

— Oui, par ici ! se força-t-elle à répondre.

La douleur dans son dos s'atténuait peu à peu, mais il lui fallut de longues secondes avant de pouvoir lâcher la poignée de la fenêtre et se redresser.

Jane fit entrer tout le monde dans le salon, bavardant joyeusement pour faire oublier à tous le manque de courtoisie dont Erin avait fait preuve en ne les accueillant pas à la porte.

Erin prit une profonde inspiration, puis se retourna.

Jane, Richard et Zack Freeman lui semblèrent vaguement flous comme son regard se focalisait directement sur le père de son enfant. Le beau visage de Peter Ramsey reflétait un choc au moins égal au sien.

— Erin, voici Zack Freeman, annonça son agent avec entrain. Il va réaliser le film. Peter Ramsey, ici présent, va le financer. Messieurs, Erin Lavelle.

Zack Freeman s'avança vers elle, la main tendue.

Mais Erin resta pétrifiée, regardant les yeux de Peter remonter lentement de l'arrondi de son ventre à son visage blême. Il *savait*.

La voix de l'homme d'affaires claqua comme un coup de fouet.

— Tout le monde dehors ! La réunion est ajournée.

— Quoi ?

— Pourquoi ?

— Mais…

Il fit taire le petit groupe d'un seul geste.

— Retournez à l'hôtel et attendez-moi là-bas.

Sortant un trousseau de clés de sa poche, il le lança à Zack et reprit :

— Prends ma voiture.

Pendant tout ce temps, ses yeux avaient à peine quitté Erin. Il se dégageait de lui une telle autorité que personne n'osa contester ses ordres. Il était de plus l'homme qui finançait le projet. Sans lui, il n'y avait plus de film.

Seul Richard rassembla assez de courage pour demander :

— Tout va bien, Erin ? Nous pouvons te laisser ?

La confrontation était inévitable. Elle s'y était résignée.

— Oui, soupira-t-elle. Allez-y.

Ses visiteurs se retirèrent, médusés. La porte d'entrée claqua derrière eux.

Peter ne bougea pas.

Elle non plus.

Après un silence interminable, il demanda enfin :

— Il est de moi, n'est-ce pas ?

Il n'y avait pas trace de doute dans sa voix, ni dans ses yeux. Peter voulait juste l'entendre confirmer ce qu'il savait déjà.

— Oui, reconnut-elle.

Un rictus ironique apparut sur les lèvres de son compagnon.

— Cette petite aventure avait donc un but caché.

Dois-je me sentir flatté que tu aies choisi mes gènes pour ton enfant ?

Erin ne sut d'abord que répondre, outrée qu'il puisse sous-entendre qu'elle avait tout planifié, qu'elle l'avait utilisé comme étalon. Surtout après qu'elle lui avait exposé sa vision de la maternité.

Puis elle explosa :

— C'était un accident ! Un accident !

— Tu me prends pour un imbécile ? D'abord tu me mens sur ton identité, ensuite tu prétends que tu prends la pilule…

— Je n'ai pas menti ! Je prenais bien la pilule ! Tu n'as qu'à demander à mon médecin ! Je la prenais toujours quand je suis allée le voir, cinq semaines après notre rencontre !

— Cinq semaines, répéta-t-il, moqueur. Ça t'a laissé beaucoup de temps pour me dire la vérité… Pourquoi ne l'as-tu pas fait ?

— Parce que…

Elle s'interrompit, incapable de répondre à la question.

— Parce que ? la pressa-t-il.

— Parce que je… je n'avais pas besoin de ton soutien financier.

— Ça ne te donne pas le droit de me dissimuler l'existence de mon enfant ! s'exclama Peter.

— J'allais te le dire…

— Quand ? *Quand ?*

— Après la naissance. J'attendais qu'il soit… réel.

— Réel ? s'étrangla Peter, incrédule.

Il pointa un doigt vers son ventre et enchaîna :

— Parce que ça n'est pas assez réel ?

— Ce n'est pas ce que je veux dire. Il y a eu des complications. J'ai failli faire une fausse couche. J'ai été alitée pendant des semaines. J'ai continué de ne pas me sentir très bien, et le médecin a diagnostiqué le diabète de la femme enceinte. J'ai dû faire très attention à mon

régime alimentaire. Il ne me semblait pas nécessaire de...
te le dire avant... avant d'être sûre que le bébé naîtrait
en pleine forme, acheva-t-elle, agitant les mains en un
appel désespéré à sa compréhension.

— Nécessaire..., murmura-t-il, presque haletant de
colère. Qui s'est occupé de toi pendant tout ce temps ?
Il ne t'est pas venu à l'idée que je puisse vouloir être
impliqué dans l'affaire ? Veiller sur toi et l'enfant ?

Non, cela ne lui avait pas traversé l'esprit. Son expérience des hommes ne l'avait pas habituée à ça.

— Je... j'ai engagé une infirmière.

— Tu as donc partagé avec une parfaite étrangère ce
que tu aurais dû partager avec moi, conclut-il avec mépris.

Erin le fixa en silence, impuissante, ne sachant que
dire pour sa défense. Elle ne s'était pas rendu compte que
Peter se soucierait à ce point d'être présent pendant la
grossesse. Surtout une grossesse qu'il n'avait pas désirée !

— J'allais te le dire, répéta-t-elle, à court d'arguments.

— Oh, vraiment ? Si je n'avais pas décidé de financer
ce film, je ne t'aurais pas revue et tu aurais pu me cacher
la vérité encore longtemps !

Sachant qu'il ne croirait rien de ce qu'elle dirait, Erin
décida que l'attaque était la meilleure des défenses. Après
tout, lui aussi lui devait des explications !

— Pourquoi as-tu fait ça ? interrogea-t-elle.

— Pourquoi j'ai fait quoi ?

— Pourquoi as-tu décidé de faire ce film ?

Peter eut un rire rauque et moqueur.

— Oh, je me suis mis en tête une idée ridicule. Je
me suis dit que si nous avions l'occasion de nous revoir,
nous pourrions raviver cette magie... Devenir de nouveau
« un homme et une femme », tout simplement.

L'accent moqueur avec lequel il l'avait citée fit s'empourprer Erin. Cela n'échappa pas à Peter.

— Pourquoi rougis-tu ? La culpabilité ?

Une nouvelle fois, elle ne sut que répondre. Rien de

tout cela n'avait de sens. Pourquoi avait-il voulu financer un film mettant en scène l'un de ses livres ? Il n'avait pas supporté qu'elle lui vole la vedette, à Randwick. Etait-ce simplement pour satisfaire son ego, parce qu'aucune femme ne l'avait jamais rejeté ?

— Tu es très fort pour manipuler les gens, murmura-t-elle. Tu as monté tout ça pour me retrouver et m'approcher…

— Non, c'est très réel. Je n'aurais pas fait perdre leur temps à ton agent, à ton éditeur ou à Zack Freeman. Je veux faire ce film.

— Pourquoi ? Pour me prouver que tu es riche ? Puissant ?

— Tu plaisantes ? Tu m'as dit toi-même que tu ne m'appartenais pas et que tu n'étais pas mon jouet.

— Dans ce cas, je ne comprends pas.

Pourquoi voulait-il la rendre plus célèbre encore alors qu'il ne supportait pas sa notoriété ? C'était parfaitement ridicule.

— Ça n'a pas d'importance, déclara-t-il sèchement. Tu n'as qu'une seule chose à comprendre, Erin.

Il s'approcha d'elle d'un pas lent, déterminé, menaçant. Tétanisée par la peur, Erin ne bougea pas. Le guerrier passait à l'attaque. Tout son être était tendu vers l'affrontement.

Une douleur fulgurante dans le bas du dos lui arracha une grimace, mais sa fierté la força à ne pas aller s'allonger pour la soulager. Elle ne put cependant s'empêcher de trembler de tous ses membres lorsqu'il s'immobilisa devant elle, plongea ses yeux dans les siens et posa une main large et possessive sur son ventre.

— Tu ne me tiendras plus à l'écart de mon enfant. C'est fini.

Son ton indiquait clairement qu'elle n'avait pas le choix. Mais Erin n'avait aucune envie de se battre contre lui. Il était normal qu'il soit impliqué dans la vie du bébé.

Cela avait d'ailleurs toujours été son intention. Comment le lui prouver ?

Elle songea soudain à un début de preuve, un détail qui, aussi insignifiant qu'il soit, pourrait peut-être le convaincre.

— J'allais te dire la vérité, Peter. Viens avec moi, tu vas voir.

Elle fit un pas de côté et le contourna, le cœur battant.

— Voir quoi ?

Elle ignora la question. Il était juste derrière elle, et Erin força ses jambes cotonneuses à avancer.

— Bon sang, s'exclama-t-il lorsqu'elle ouvrit la porte de son bureau. C'est donc à ça que tu pensais à Randwick ?

Il avait aussitôt repéré les tableaux des chevaux ailés qu'elle avait commandés à l'artiste qui illustrait tous ses livres. Erin les avait accrochés au mur pour s'en inspirer en écrivant.

— Oui. *Les Chevaux mythiques de Mirrima*, répondit-elle distraitement. Tu aurais dû attendre la publication de celui-là si tu veux faire un film. Ce sera mon meilleur livre.

— Tu as réussi à écrire un livre avec une grossesse si difficile ?

Le ton de sa voix impliquait qu'elle lui avait menti au sujet des complications, et elle répliqua :

— Inventer des histoires n'a rien de très physique. J'ai écrit la majeure partie du livre au lit, sur mon portable. Et ça a eu l'avantage de me distraire.

— Des injonctions de ta conscience, qui te reprochait de me cacher l'existence de mon enfant ?

— Pour la dernière fois, je n'avais pas l'intention de te cacher son existence !

Le regard qu'il lui retourna indiquait clairement qu'il ne la croyait pas. C'était décourageant. Pourtant, Erin était bien décidée à ne pas abandonner.

— Regarde ! s'écria-t-elle en ouvrant le premier tiroir de son bureau.

Elle en tira la carte de visite qu'elle avait tournée et retournée si souvent entre ses doigts.

— Je l'ai gardée, renchérit-elle. Là, à portée de main. Pourquoi, si ce n'est parce que je voulais t'appeler ?

Le faisceau bleu de ses yeux descendit sur la carte qu'elle lui tendait telle une offrande propitiatoire. Il la fixa pendant de longues secondes, mais aucune lueur d'apaisement ne vint adoucir les angles durs de son visage.

— Au nom du ciel, Peter, tu m'as dit toi-même que tu ne laisserais jamais quelqu'un t'éloigner de tes enfants ! Pourquoi aurais-je essayé de le faire ? Tu aurais appris l'existence de ce bébé à un moment ou à un autre, c'était inévitable. J'aurais eu tout à perdre à te la dissimuler !

Il l'étudia en silence, mais, cette fois, elle eut l'impression que l'argument avait porté.

— Tu te rappelles notre conversation au sujet des Harper ? reprit-elle, suppliante.

— Je me rappelle que tu as dit qu'un enfant devait être le fruit d'un couple solide, dit-il d'un ton de reproche, sous-entendant qu'elle avait de nouveau menti.

— Précisément ! Ça devrait te prouver que cette grossesse est un accident ! Je ne me suis pas servie de toi. Je n'avais rien planifié. J'essayais juste d'attendre le meilleur moment pour…

Une nouvelle douleur la traversa. Si déchirante, cette fois, qu'Erin se plia en deux.

— Erin ?

Elle ne pouvait même pas parler. Il lui fallait respirer. Comme le médecin le lui avait appris. A petits coups et…

Puis, horrifiée, elle sentit un liquide chaud couler le long de ses jambes.

— Oh, non… non…, dit-elle en gémissant.
— Quoi ? Que se passe-t-il, bon sang ?
Elle leva la tête. Peter fondait sur elle, l'air angoissé.
— Le bébé, bredouilla-t-elle. Il arrive…

11.

Ce fut un effroi d'une nature tout à fait différente qui s'empara d'Erin lorsque Peter l'aida à s'asseoir doucement dans le fauteuil où elle écrivait. Pourquoi le bébé se présentait-il avec un mois d'avance ? Y avait-il un problème ? Elle enveloppa son ventre de ses bras comme pour bercer son enfant.

— Essaie de rester calme. Ça ne sert à rien de paniquer, fit Peter. Donne-moi le nom de ton médecin, et je m'occupe du reste.

— Davis.

D'un signe de tête, elle désigna le téléphone et ajouta :

— Tape 6, ça appelle directement son cabinet.

Il s'exécuta en quelques secondes.

— Peter Ramsey à l'appareil. J'appelle de la part d'Erin Lavelle. J'ai besoin de parler au Dr Davis immédiatement. C'est une urgence.

Il y eut une pause, puis il reprit :

— Oui, je suis bien ce Peter Ramsey là. Je suis avec Erin Lavelle. Elle a perdu les eaux et elle a des contractions. Je vous serais reconnaissant de faire envoyer une ambulance chez elle, au 14, Ocean Drive, et de nous retrouver à l'hôpital.

Il y eut une nouvelle pause. La contraction se calma, l'étau de la douleur relâcha son emprise, et Erin respira un peu plus aisément. Elle ne pouvait s'empêcher de se demander comment le Dr Davis réagirait aux exigences de Peter Ramsey. Le nom du milliardaire aplanirait-il les difficultés ?

— Merci, dit enfin son compagnon, ayant visiblement obtenu satisfaction.

Il raccrocha et, se tournant vers Erin, fronça les sourcils en avisant son expression anxieuse.

— Que se passe-t-il ?

— J'ai peur que cette naissance ne devienne un cirque médiatique si tu révèles ton nom aussi aisément.

Peter eut un sourire de dérision.

— Tu ferais bien de t'y habituer, Erin. Tu vas faire partie du grand cirque Ramsey, à l'avenir. Franchement, je me moque que tu aimes vivre en ermite. Dans l'intérêt de notre enfant, je veux le meilleur traitement possible. Vu que ma famille, via l'organisation caritative de ma mère, a donné des millions au système de santé de ce pays, je ne considère pas cette requête comme déraisonnable.

Il avait sans doute raison. Et Erin éprouvait un certain soulagement à l'idée qu'il était là pour l'aider.

— Je suis désolée… Je n'ai pas les idées très claires, c'est tout.

— Ne t'en fais pas pour ça, répondit Peter plus gentiment. Laisse-moi m'occuper de tout. Tu veux te changer en attendant l'ambulance ou tu préfères ne pas bouger ?

— J'ai peur de bouger. Tu trouveras une valise avec mes affaires dans ma chambre. Première porte à droite dans le couloir.

— D'accord. Je peux te laisser une minute, tout ira bien ?

— Oui.

Mais une nouvelle contraction la scia en deux sitôt qu'il fut sorti. Elle se leva à grand-peine et s'appuya contre le bureau, trouvant la position plus confortable. Peter réapparut et vint lui passer un bras autour de l'épaule pour la soutenir. Il lui caressa les cheveux de sa main libre, en un geste d'une tendresse inattendue.

— L'ambulance sera là d'une minute à l'autre.

Des larmes montèrent aux yeux d'Erin. Elle ne pouvait parler. Si elle lui avait avoué sa grossesse plus tôt, elle le comprenait à présent, il se serait occupé d'elle. Et, tout indépendante qu'elle était, elle aurait apprécié de se sentir moins seule.

Il resta à son côté quand l'ambulance arriva, pendant le trajet, en salle de travail. Nul ne lui contesta le droit d'être présent. Bien qu'ils n'aient dit à personne que Peter était le père de l'enfant, la chose s'imposait. Les infirmières le considéraient avec une admiration mêlée de respect, répondant aussitôt à ses questions. Le Dr Davis lui-même le traita avec une grande déférence et le rassura : tout se passait normalement.

Erin, quant à elle, ne songea pas à protester. En dépit de leurs différences, elle voulait qu'il soit près d'elle. Ils avaient conçu cet enfant ensemble, ils l'accueilleraient ensemble.

Les contractions se rapprochaient. Elle avait à peine le temps, à présent, de reprendre son souffle entre deux accès de douleur. Assis à côté d'elle, Peter lui donnait la main et relayait les instructions du médecin — la tête est engagée, presque, là, poussez — comme si elle ne pouvait les entendre.

Erin n'essaya pas de parler. Elle n'avait pas voulu de césarienne, pour vivre pleinement l'expérience, et s'efforçait de considérer la douleur comme quelque chose de positif, une étape normale vers la délivrance et le bonheur.

— Ne poussez pas trop fort, lui recommanda le médecin. Poussez le plus régulièrement possible… Voilà… Accompagnez le bébé. Excellent… Je vois sa tête…

Erin éprouva soudain un immense soulagement. Elle entendit son bébé pleurer, des larmes lui montèrent aux yeux.

— C'est terminé, dit Peter dans un souffle, tout en lui épongeant doucement le front.

— Vous avez un magnifique garçon ! annonça le médecin. Il est arrivé un peu en avance, mais il est en parfaite santé !

Erin eut un nouvel accès de larmes. Elle s'était inquiétée pendant de longs mois, et voilà que son bébé était là, en pleine forme. Et elle n'avait plus à se soucier d'annoncer la nouvelle à Peter.

— Tout va bien, murmura-t-il. Tu l'as fait ! Je vais t'apporter notre fils.

Il se leva de sa chaise. Erin songea confusément que la naissance avait dû être une épreuve pour lui aussi. Elle, au moins, avait eu huit mois pour s'y préparer ! Mais il n'avait appris que quelques heures plus tôt qu'il allait être père.

— Cordon coupé, annonça le Dr Davis. Et voici votre petit paquet emballé, ajouta-t-il en déposant son fils nouveau-né dans les bras de Peter. Nous allons tout nettoyer et vous laisser tous les trois.

« Tous les trois…

Nous sommes liés pour le restant de nos jours », songea Erin.

— Il est si petit, murmura Peter, un sourire émerveillé aux lèvres.

— Mais je peux vous dire tout de suite qu'il sera grand, quand ce sera un homme, intervint le Dr Davis.

Le sourire de Peter s'élargit. « Comme moi », disaient ses yeux. Leur ressemblance allait-elle accentuer encore son instinct possessif ? se demanda Erin. Elle espérait qu'il se montrerait raisonnable lorsque viendrait le temps de se partager les responsabilités.

Elle tendit les bras, et Peter déposa doucement le bébé sur sa poitrine. Le nourrisson s'y blottit, et une bouffée d'émotion lui coupa le souffle. L'espace d'un instant, elle oublia son différend avec Peter. Malgré une

254

grossesse difficile, elle avait donné naissance à ce petit être. Son bébé.

Peter se rassit, et fit courir un doigt léger sur le duvet clair qui couvrait la tête de son fils.

— Il est blond. C'est un vrai Ramsey. Le fils de Charlotte, lui, a les cheveux de Damien.

Erin prit une inspiration tremblante.

— Les bébés perdent souvent leurs cheveux, fit-elle valoir le plus calmement possible. Il est difficile de savoir de quelle couleur ils seront plus tard.

— Ce n'est pas grave.

Il continuait de sourire, l'air béat, et elle retint un soupir de soulagement. Peut-être était-elle paranoïaque. La remarque de Peter avait sans doute été innocente et n'était pas une façon de s'approprier le bébé.

Une fois qu'il eut disposé des divers instruments, le Dr Davis vint les informer qu'Erin allait être transférée dans une chambre privée. Puis il sortit.

En regardant l'horloge fixée au-dessus de la porte, Erin s'aperçut qu'il n'était que 1 heure de l'après-midi. La naissance avait donc été relativement rapide, même si elle lui avait paru durer une éternité.

— Merci pour ce que tu as fait, dit-elle enfin, tournant la tête vers Peter. Je suis contente que tu aies été là pour nous.

— J'aurais été là bien avant si tu me l'avais demandé.

Cette fois, il n'y avait ni ironie ni critique dans sa voix. Mais la culpabilité fit monter un goût bileux dans la gorge d'Erin.

— Je… je suis désolée.

— Ce qui est fait est fait. Seul compte l'avenir, désormais.

— Oui.

Une partie d'elle-même redoutait toutefois de devoir discuter du futur. Instinctivement, elle posa une main protectrice sur la tête de son enfant.

— Tu as pensé à un nom ?

Une nouvelle fois, il n'y avait pas d'acrimonie dans sa voix. Elle se détendit un peu.

— J'aime bien Jack.

— Jack, répéta-t-il, songeur. Jack Ramsey. Ça sonne bien. Ça me plaît aussi.

Erin serra les dents. Elle devait lui faire comprendre *maintenant* qu'il ne pouvait pas prendre possession de l'enfant.

— Ce sera Jack Lavelle, déclara-t-elle.

La tendresse qui illuminait les yeux bleus de Peter disparut soudain, remplacée par un éclat gris acier. Un éclat qui disait assez sa détermination à écraser toute opposition.

Lorsqu'il prit la parole, ce fut d'une voix calme et posée.

— Tu as affirmé que cette grossesse était un accident. C'était la vérité.

— Oui.

— Tu as également dit qu'un enfant devait naître au sein d'un couple déterminé à lui offrir amour et stabilité.

— Oui. Et je me rends bien compte que nous ne sommes pas dans cette situation. Mais nous ne pouvons rien y changer et…

— Justement, si, coupa Peter. Tu peux tout changer en m'épousant.

La proposition était si inattendue qu'elle en eut le souffle coupé. Elle le fixa, incrédule, mais il était évident qu'il ne plaisantait pas.

Epouser Peter Ramsey ?

Une chose qu'il avait dite lui revint à l'esprit. « Tu vas faire partie du grand cirque Ramsey, à l'avenir. Tu ferais bien de t'y habituer. »

Il était ridicule de se marier à cause d'un enfant, aujourd'hui. Cela ne se faisait plus. Le gouvernement aidait même les mères célibataires en difficulté. C'était passé dans les mœurs.

— Tu veux m'épouser ? répéta-t-elle enfin. Tu plaisantes ?

— Pourquoi ça ?

— Tu n'arrêtes pas de m'accuser de mentir, Peter ! Tu ne me fais pas confiance, et ça finirait pas nous détruire. Tu me soupçonnerais sans cesse de quelque manipulation, et je passerais ma vie à me défendre. Notre relation serait un véritable enfer. Et notre fils serait le premier à en souffrir.

— Si tu apprenais à être plus honnête avec moi, nous n'aurions pas ce problème. Le vrai ennemi, c'est le silence, l'absence de communication, le fait de cacher des choses qui ne devraient pas l'être. Sois franche, et tout ira bien. C'est aussi simple que ça.

— Non, ce n'est pas aussi simple, malheureusement.

— Si, ça l'est. Et nous sommes sexuellement compatibles. C'est un plus énorme pour un mariage.

Etait-ce la raison pour laquelle il avait voulu produire ce film ? Pour goûter de nouveau à la passion ? Mais même cette flamme, combien de temps durerait-elle s'il ne pouvait lui faire confiance, s'il était avide d'attention médiatique et jaloux de sa célébrité ?

— Et… ça ne te dérangerait pas de vivre avec un écrivain ? Tu as vu ce qui m'arrive, parfois. Je déconnecte complètement de la réalité.

— Je n'essaierai jamais de t'empêcher d'écrire, répondit-il sans même réfléchir. Tu as un talent unique, et il serait criminel de le brider. Nous engagerons une nourrice, ce qui fait que, même si tu oublies de t'occuper de Jack…

— Je n'oublierai jamais de m'occuper de Jack ! protesta-t-elle. Il sera toujours la chose la plus importante de ma vie. Bien avant l'écriture !

— Parfait. Mais, quand l'un de nous deux sera indisponible, il aura toujours l'autre pour s'occuper de lui. Un enfant a besoin de ses deux parents.

— Et que se passera-t-il lorsque les médias s'intéresseront plus à moi qu'à toi ?

Peter fronça les sourcils et secoua la tête, comme s'il ne comprenait pas la question.

— Tu peux t'exposer ou te cacher autant que tu veux. Mais je dois te prévenir qu'une fois que tu seras ma femme tu attireras davantage les paparazzi. C'est inévitable. Je te protégerai du pire, mais, chaque fois que nous sortirons ensemble…

— Oh, bon sang ! coupa-t-elle. Tu ne supportes pas que je te vole la vedette ! Et il en était de même avec tous les hommes que j'ai connus. Tu n'as pas digéré que je fasse la une des journaux, après cette journée à Randwick.

— Tu te trompes, Erin. Ce que je n'ai pas digéré, c'est que tu m'aies délibérément laissé croire que tu étais une autre ! En ce qui concerne la presse, je serais ravi qu'on ne parle plus jamais de moi ! La célébrité me laisse complètement de marbre !

Sa véhémence ébranla Erin. Se pouvait-il qu'elle se soit trompée du tout au tout sur son compte ?

Leur fils émit un petit grognement, percevant peut-être la tension qui montait dans la pièce, et Peter poussa un profond soupir.

— Je suis désolé. Je n'aurais pas dû élever la voix.

Erin caressa la tête du nourrisson.

— Chut, tout va bien. Maman t'adore.

— Et papa aussi.

Il avait parlé d'une voix douce, mais il était impossible d'ignorer sa farouche détermination à ne pas être mis sur le banc de touche. Jack, en guise de réponse, fit une bulle de salive et se rendormit.

— C'est mon fils et mon héritier, reprit Peter. Il doit grandir dans un environnement protégé. Et la seule façon de le garantir, c'est d'en faire un Ramsey à part entière.

Erin fronça les sourcils. De fait, Jack était l'héritier d'une véritable fortune. Jamais elle n'avait songé à cela, mais elle ne pouvait ignorer les problèmes de sécurité que cela posait.

— Il suffit de ne le dire à personne, dit-elle impulsivement. S'il porte mon nom, Jack Lavelle...

— Je ne cacherai pas l'existence de mon fils, décréta son compagnon.

— Mais ça lui donnerait une chance d'avoir une vie normale...

— Il aura une vie normale. Avec moi. Et il portera mon nom.

Erin eut la soudaine impression qu'un piège se refermait sur elle. Pourrait-elle lutter contre la puissance des Ramsey ? Contre tout ce que ce nom évoquait ?

Cela lui rappela les circonstances de leur rencontre, et elle ne put s'empêcher de demander :

— Qu'est devenu Dave Harper ?

— Ça n'a aucun rapport avec notre situation.

— Mais j'aimerais savoir.

Peter hésita, puis haussa les épaules.

— Très bien. Je lui ai trouvé un travail qui lui permet de choisir ses horaires et de passer du temps avec son fils. Etant donné que sa femme avait menti sur son compte et qu'elle préférait confier Thomas à une nounou plutôt que de passer du temps avec lui, c'est Dave qui a obtenu la majeure partie de la garde.

La mère avait menti... Le père avait obtenu la garde...

Erin ne put s'empêcher d'y voir un parallèle avec leur situation. Devait-elle prendre ce récit pour un avertissement ?

On frappa à la porte, et elle eut un soupir de soulagement. La distraction était bienvenue. Elle était épuisée et stressée.

L'infirmière en chef entra, une femme corpulente à la mine sévère, accompagnée de deux aides-soignants.

— Nous allons vous accompagner dans votre chambre, mademoiselle Lavelle, annonça-t-elle. Et je pense que vous apprécierez de savoir, monsieur Ramsey, que la nouvelle de votre présence ici s'est répandue. Nous avons déjà eu plusieurs coups de fil.

Peter soupira et se redressa de toute sa taille, visiblement prêt au combat.

— Qu'en est-il de la sécurité, ici ?

— Personne n'entre sans mon autorisation, lui assura l'infirmière. Mlle Lavelle doit se reposer, à présent.

— Merci.

Il prit la main d'Erin, puis eut un petit sourire.

— Le cirque va commencer, ironisa-t-il. Et je n'ai aucun problème avec le fait que tu sois la star du spectacle.

— Mais je ne veux pas ! dit-elle, paniquée par cette idée.

— C'est inévitable.

— Nous pourrions ne rien dire à personne !

— Ce serait encore pire. Ça exciterait la curiosité des paparazzi.

— Que comptes-tu leur dire ?

— La vérité. C'est la meilleure solution. Mensonge et secret, voilà ce qui alimente les problèmes.

Puis, ignorant totalement les trois autres personnes présentes, Peter reprit :

— Alors, j'ai ton accord pour annoncer notre mariage ?

Leur mariage ? Elle était bel et bien prise au piège... Son esprit se rebella, tentant d'envisager une troisième voie. Il n'y en avait pas. Elle n'avait rien à gagner à s'opposer à Peter.

Mais peut-être le mariage était-il la meilleure solution, après tout. Qu'avait-elle à perdre à essayer ?

— C'est la meilleure solution, insista-t-il comme si elle avait formulé ses doutes à voix haute.

Elle croisa son regard, hésita, puis hocha la tête en signe de capitulation.

— Si tu le penses.

A son tour, il acquiesça, satisfait.

— Repose-toi, maintenant. Je m'occupe de tout.
Il se pencha, embrassa son fils sur le front et chuchota :
— Sois sage avec ta mère.
Puis il partit affronter le monde extérieur.
Erin le regarda s'éloigner, le cœur battant.
Ils allaient se marier.
Les dés étaient jetés.
Et elle espérait de tout son être que cette histoire-là
aurait un heureux dénouement.

12.

Deux mois… Cela faisait deux mois qu'il se disciplinait en attendant qu'Erin se remette de l'accouchement et s'habitue à sa nouvelle vie. Et l'attente touchait à sa fin. Ce soir, elle serait sa femme. Il pourrait enfin partager son lit, goûter de nouveau à cette extase qu'il n'avait connue que trop brièvement.

Mais d'abord, le mariage.

Il avait pris grand soin de ne pas donner à Erin de raison de changer d'avis. Il avait continué de prétendre que cette union était dans l'intérêt de leur fils et pris garde de ne pas mentionner son aspect sexuel. Il avait déjà perdu Erin une fois, il ne voulait pas recommencer.

Une fois qu'ils seraient mariés, elle serait sienne. Elle ne pourrait plus ni reculer ni s'enfuir.

— Pourquoi cette mine sombre, Peter ? Un problème entre Erin et toi ?

Tout en attachant son second bouton de manchette, Peter coula un regard à Damien. Son ami attendait patiemment de lui passer l'œillet blanc qu'il devait porter à la boutonnière. Peter avait été témoin à son mariage, et Damien lui rendait à présent la pareille.

— Tu as eu l'impression que quelque chose n'allait pas ? demanda-t-il, sachant à quel point le Britannique était perspicace.

Charlotte et lui avaient passé beaucoup de temps avec Erin. Ils étaient arrivés de Londres à Noël et avaient décidé de rester jusqu'au mariage. Ils semblaient se porter une affection mutuelle, et il était fort possible qu'Erin se soit confiée à sa future belle-sœur.

— Non. C'est juste que tu as l'air tendu.

Peter ne put retenir un sourire.

— J'ai quelque peu manipulé Erin pour la convaincre de m'épouser. Comme toi avec Charlotte. J'espère que ça marchera aussi bien.

— Moi aussi. C'est une femme formidable. Et tu as fait ce que tu avais à faire. Je ne doute pas un instant que tu vas conquérir le cœur d'Erin. Si ce n'est déjà fait !

— Qu'est-ce qui te fait dire ça ?

— Produire *Les Chevaux mythiques de Mirrima* est un coup de maître. Ça prouve que tu l'as écoutée, que tu apprécies ses livres et que tu n'es pas jaloux de sa carrière d'auteur.

— Tu lis en moi comme dans un livre ouvert, soupira Peter.

— Tu es un grand tacticien. J'ai toujours admiré ça, chez toi.

Peter hocha la tête, mais il n'était guère convaincu. Ce que lui disait sa tête était une chose, ce que lui soufflait son cœur en était une tout autre. Il voulait qu'Erin le désire comme elle l'avait désiré cette première nuit. Avoir son enfant ne lui suffisait pas.

Il plaça enfin l'œillet à sa boutonnière, se demandant ce que sa future épouse pouvait bien ressentir en cet instant. Elle était dans l'autre aile de la demeure familiale en compagnie de Charlotte, qui était son témoin.

Avait-elle regardé le ballet des limousines, presque incessant depuis ce matin, en songeant que bien peu des invités étaient *ses* amis ? C'était pourtant pour elle que Peter avait organisé ce mariage. La mère d'Erin était à l'évidence bien plus intéressée par son second mari que par sa fille, et son universitaire de père semblait en permanence dans les nuages. Aucun des deux n'aurait songé à lui offrir une telle cérémonie.

— Tu fais encore cette drôle de tête, intervint Damien.

— C'est juste que… nous aurions peut-être dû nous marier discrètement à la mairie, comme Erin l'a suggéré, plutôt que de faire tout ce cirque.

— Oh, non. Je tiens de source sûre, en l'occurrence ma chère épouse, qu'une femme veut se rappeler son mariage, et qu'une cérémonie discrète est la dernière chose qu'elle souhaite, au fond d'elle-même. Bon, il est temps d'y aller maintenant. Tu es superbe ! Tu vas faire tourner la tête de la mariée.

— Merci, Damien. Merci de ton soutien.

— Tout le plaisir est pour moi.

Ils échangèrent un sourire, et Peter se sentit quelque peu rasséréné. Damien et lui étaient des combattants. Ils n'acceptaient pas la défaite.

Si le bonheur était au bout du chemin, quelles que soient les embûches, il le trouverait. Foi de Ramsey !

— Et voilà la touche finale !

Charlotte tendit à Erin son bouquet et recula pour l'étudier d'un œil critique.

— C'est parfait ! décréta-t-elle. Tes fans vont adorer les photos. Tu as l'air tout droit sortie de l'un de tes livres.

A son tour, Erin regarda son reflet dans le miroir en pied. C'était exactement ainsi qu'elle s'était imaginé se marier, dans une robe à l'ancienne brodée de perles de cristal. Une tiare de diamants prêtée par la mère de Peter retenait un voile très simple sur ses cheveux noirs. Le maquilleur avait fait des merveilles et, bien que peu encline à l'autosatisfaction, elle ne put retenir un sourire de plaisir.

Elle était ravie, à présent, que Peter l'ait poussée à

accepter un mariage traditionnel. Il avait eu raison. Il avait eu raison sur tant de choses… Comme il l'avait promis, les Ramsey l'avaient accueillie avec chaleur en leur sein. Elle avait passé un Noël merveilleux avec eux, et adorait Charlotte, Damien, et leurs deux enfants, James et Geneviève. A aucun moment elle n'avait été traitée comme une étrangère.

Une famille… Cela faisait longtemps qu'elle n'en avait pas eu. Et elle se rendait compte à quel point cela lui avait manqué.

Même Lloyd Ramsey, malgré son allure si intimidante, s'était avéré charmant. Et il adorait Jack. Son dernier petit-fils était la prunelle de ses yeux. Il adorait lire les pages financières à voix haute avec le nourrisson dans les bras.

— C'est un Ramsey ! avait-il coutume de dire. Il n'est jamais trop tôt pour apprendre !

Erin devait aussi admettre qu'elle s'était trompée sur le compte de sa belle-mère. Kate ne la voyait pas comme une curiosité, mais adorait sincèrement ses ouvrages, qu'elle avait tous lus. Personne n'attendait qu'elle abandonne l'écriture pour se consacrer à son mari. Surtout pas Peter, qui avait annoncé son intention de produire *Les Chevaux mythiques de Mirrima*.

— Heureuse ? demanda Charlotte en lui souriant.

— Très. Et tu es superbe, toi aussi.

Charlotte portait une robe de satin moiré qui lui allait à merveille. Ses cheveux étaient plus foncés que ceux de son frère, ses yeux couleur ambre. Pour Erin, Charlotte et Damien représentaient le couple idéal. Leur amour était évident. Restait à espérer que Peter et elle seraient aussi heureux.

— Quelque chose ne va pas ? s'enquit son témoin.

Erin secoua légèrement la tête et se força à rire.

— Tout va bien, ne t'en fais pas.

— Tu avais l'air absente.

— Ça m'arrive. Mon imagination qui s'envole…

— Tu es sûre que tout va bien, avec Peter ? Tu sembles tendue.

— Oui. C'est un homme merveilleux. Je ne pourrais rêver meilleur mari.

Charlotte se mordit la lèvre, sa mine se fit pensive. Elle parut hésiter, puis déclara :

— Tu sais, quand Damien et moi nous sommes mariés, nous n'étions pas sûrs de nos sentiments. Je veux dire, nous nous aimions, mais il nous a fallu un peu de temps pour nous en rendre compte.

— Vous allez très bien ensemble.

— Oui. C'est toujours l'homme le plus sexy du monde pour moi. En tout cas, quoi qu'il se soit passé entre Peter et toi, je sais que l'étincelle est toujours là. N'essaie pas d'y résister, c'est tout. Peter a besoin de se sentir désiré, aimé pour lui-même.

— Je sais. Merci Charlotte.

La question n'était pas de savoir si elle désirait Peter. Pour le désirer, elle le désirait. Mais était-ce un sentiment réciproque ?

Pas une fois il n'avait tenté de l'embrasser, de réveiller l'intimité physique qu'ils avaient partagée. Elle n'avait pas surpris la moindre lueur de passion dans son regard, et commençait à se demander s'il ne l'épousait pas seulement pour Jack.

— Il est temps d'y aller, déclara Charlotte après un coup d'œil à sa montre. Tu es prête ?

— Oui.

Prête à s'engager pour la vie, à devenir Mme Peter Ramsey. Il était trop tard pour reculer, à présent.

Elles descendirent enfin. Le père d'Erin l'attendait dans le hall, prêt à la mener à l'autel et à la céder à Peter Ramsey. Ce serait facile, pour lui. Il l'avait déjà abandonnée quand elle avait sept ans.

Peter ne ferait jamais cela à Jack, songea Erin. Il n'était pas ce genre d'homme.

Dans l'intérêt de leur fils, elle devait tout faire pour que leur mariage soit un succès.

Une princesse… Une princesse d'une beauté éblouissante. Le cœur de Peter bondit dans sa poitrine comme Erin s'avançait vers l'autel, et une bouffée de désir lui noua l'estomac.

La femme qu'il désirait plus que tout au monde.

Mais elle ne souriait pas.

Elle avait le regard rivé sur lui, et ne paraissait pas prêter attention aux invités assis sur les côtés tandis qu'elle remontait le tapis rouge. Elle avait la tête haute, l'air déterminé.

De nouveau, le doute s'abattit sur Peter. Avait-il bien fait de la pousser à accepter ce mariage ?

Il était de toute façon trop tard pour changer quoi que ce soit. Et puis, au fond de lui-même, il n'en avait pas envie, songea-t-il comme une vague de possessivité balayait ses interrogations. Erin… Jack… Leur place à tous les deux était auprès de lui. Il devait le faire comprendre à Erin.

Il ne put se défaire d'un reste de tension pendant toute la cérémonie, et la réception qui s'ensuivit. Il arbora son plus beau sourire pour leurs invités, et Erin fit de même. Mais il savait qu'elle non plus n'était pas parfaitement à son aise.

Il fut soulagé lorsque 10 heures sonnèrent : le moment pour Erin d'aller donner le sein à Jack. Le dîner était terminé, le gâteau coupé, les cafés servis.

— Je t'accompagne, annonça-t-il en lui prenant le bras.

Son épouse — il aimait ce mot — lui décocha un regard surpris.

— Tu n'es pas obligé. Tous tes amis sont là.

— J'en ai envie.

Si elle voulait être seule, il s'en moquait. Elle était sa femme.

— D'accord, répondit Erin avec un sourire nerveux.

Ils quittèrent le chapiteau dressé dans le jardin de la propriété, et coupèrent par la roseraie pour se diriger vers la maison. L'air était lourd de la fragrance des fleurs, et Erin prit une longue inspiration.

— Merci pour ce mariage, Peter, dit-elle d'une voix douce. C'était féerique.

— Je voulais qu'il soit digne de la princesse du parc, murmura-t-il, vaguement mélancolique, se rappelant l'attirance instantanée qu'il avait éprouvée pour elle.

Elle s'arrêta, et une expression torturée apparut sur son visage.

— Tu étais mon prince, ce jour-là. J'aimerais pouvoir revenir en arrière. Je regrette de ne pas t'avoir dit qui j'étais. Je ne voulais pas gâcher le conte de fées. Pourtant, c'est ce que j'ai fait en te mentant.

A ces mots, Peter sentit un fol espoir l'envahir.

— J'ai cru que tu avais en tête une aventure sans lendemain avec moi, dit-il pour expliquer sa propre réaction.

— C'était le cas.

— Pardon ?

— Je ne pensais pas qu'il y avait un avenir possible pour nous, parce que nous venions de deux mondes trop éloignés. Je voulais simplement être avec toi, profiter de l'instant sans songer au lendemain.

— Et maintenant ? ne put s'empêcher de demander Peter, réprimant une bouffée d'angoisse. Crois-tu à un avenir entre nous ?

— Les… les choses sont tellement différentes…

— Différentes en bien ?

— Oh, oui ! Oui !

Elle avait répondu avec une telle ferveur qu'il la prit dans ses bras, vibrant d'excitation.

— Je veux que ce mariage soit un succès, Erin. J'y crois.

— Moi aussi.

— Dans ce cas, ça marchera.

Il aurait voulu l'embrasser, l'étreindre à lui en couper le souffle, mais il se rappela que Jack les attendait. Ne voulant pas faire attendre son fils, il entoura l'épaule de sa femme et l'entraîna vers la maison.

Jack était dans les bras de sa nourrice et geignait avec impatience. Erin retira son voile, le déposa sur le lit de son fils, défit son bustier, ôta son soutien-gorge de dentelle blanche et s'installa dans un fauteuil à bascule, une serviette sur l'épaule.

La nourrice lui donna Jack, qui s'accrocha aussitôt à l'un de ses seins et se mit à téter goulûment. Peter étudiait la scène, regrettant que sa relation avec elle ne soit pas aussi primitive, aussi instinctive, aussi animale.

Remarquant que les joues de son épouse avaient rosi, il se demanda si elle était gênée qu'il la regarde donner le sein à leur fils. Il ne l'avait jamais fait auparavant.

Il congédia la nourrice et la prévint qu'ils l'appelleraient dès que Jack aurait fini, puis s'installa dans un fauteuil. Le spectacle de sa femme allaitant leur enfant avait quelque chose d'incroyablement érotique, mais il s'efforça de ne pas laisser ses pensées emprunter cette pente dangereuse.

— Il a toujours aussi faim ? demanda-t-il avec un sourire.

— Oui.

Erin lui décocha un regard si étrange, presque désespéré, qu'il ne put s'empêcher de poser la question qui lui brûlait les lèvres.

— Est-ce que ma présence te dérange ?

— Non, répondit Erin, secouant la tête avec véhémence.

Une nouvelle fois, il était évident qu'elle se retenait d'ajouter quelque chose. Cette habitude de tout garder pour elle, de ne rien partager, était sans doute un mécanisme de défense venu de son enfance, suite au divorce de ses parents. Mais Peter avait beau le comprendre, cela ne soulageait en rien sa frustration.

— Dis-moi à quoi tu penses.

Lentement, elle leva les yeux vers lui, puis prit une profonde inspiration, comme si elle rassemblait son courage.

— Dis-moi que tu me désires, Peter. Moi, Erin, et pas seulement la mère de ton fils.

Qu'elle en doute le surprit tant qu'il en eut le souffle coupé. Ne lui avait-il donc pas assez prouvé à quel point il avait besoin d'elle ?

A en juger par l'appréhension peinte sur le visage d'Erin, non !

Il y avait donc entre eux un malentendu de taille… Le temps était venu de le corriger une fois pour toutes.

— Tu m'as demandé une fois si j'étais quelqu'un de jaloux. Je t'ai répondu que ce n'était pas le cas, mais je viens de découvrir que je suis jaloux de mon propre fils ! J'aimerais être aussi proche de toi que lui.

Erin s'empourpra franchement. Mais, s'il l'embarrassait, Peter s'en moquait. C'était le dernier de ses soucis. Certaines choses devaient être dites, il les dirait.

— Même après ton départ, je n'ai jamais cessé de te désirer. Ma mère m'a dit que tu devais avoir un cœur d'or pour écrire tes livres. Je les ai donc tous achetés et je les ai lus. Ça n'a fait que renforcer mon attirance pour toi. J'ai décidé de financer ton film dans l'espoir de te séduire.

Peter s'interrompit, inspirant profondément pour desserrer l'étau qui semblait lui emprisonner la poitrine. Erin le dévisageait intensément, mais l'angoisse, dans ses yeux, avait laissé place à un frémissement d'espoir.

— Et puis il y a eu Jack. Ça m'a complètement déstabilisé. Tu m'avais délibérément tenu à l'écart, alors que j'avais le droit de connaître l'existence de mon fils… Il serait vain d'essayer d'expliquer ce que j'ai ressenti. Je sais que j'ai utilisé Jack pour te ramener dans ma vie. Je n'aurais pas dû, mais…

— Tu as bien fait, Peter, l'interrompit-elle.

— J'ai bien fait ? De te forcer, pour ainsi dire, à m'épouser ?

— Oui. Je ne voulais pas être seule. Je n'en ai jamais eu l'intention. C'est juste que… je ne savais pas comment arranger les choses entre nous. Et je comprends maintenant que tout est ma faute. J'ai cru que ton ego serait un obstacle entre toi et moi, que tu ne supporterais pas ma célébrité. Je me suis complètement trompée. Je m'en rends compte, à présent. Et tu m'as offert une famille, une famille formidable.

Peter éprouva un soulagement sans bornes à l'entendre enfin s'exprimer, partager ses émotions.

— Tu ne m'en veux pas, alors ? Tu ne me détestes pas ?

Erin eut un rire étranglé.

— Oh, non ! Tu es mon Prince charmant.

Il dut faire appel à toute sa volonté pour rester assis et ne pas se précipiter vers elle. Son fils était toujours en train de téter.

— Tu te rappelles cette nuit, sur le balcon de mon appartement ? demanda-t-il d'une voix rauque.

— Comme si c'était hier.

Le désir qu'il perçut dans sa voix encouragea Peter à continuer.

— Tu m'as lancé un sort ce soir-là. Je n'arrive pas à le rompre. Pourquoi le ferais-je, d'ailleurs ? J'ai tellement envie de toi… Je veux te toucher, t'embrasser, te faire l'amour… Je veux te sentir répondre avec la même passion…

Elle le fixa, le souffle court, les yeux brillants d'excitation.

— Appelle la nourrice, Peter, murmura-t-elle.

— Jack a fini ?

— Oui. Pour le moment.

Leur fils ne protesta pas lorsqu'elle l'éloigna de son sein et le coucha sur son épaule. Brûlant d'impatience, Peter décrocha le téléphone et annonça à la nourrice qu'ils avaient terminé. Puis il alla ouvrir la porte de la chambre et trépigna sur le seuil en attendant son arrivée. Son cœur battait un rythme sourd dans sa poitrine, ses poings étaient serrés. Jamais de sa vie il n'avait été aussi près de perdre son sang-froid.

Enfin, après ce qui lui parut une éternité, la nourrice arriva. Erin lui donna Jack, lui demanda de l'appeler s'il s'avérait que son fils avait encore faim, puis referma la porte derrière elle.

Peter la prit aussitôt dans ses bras, perdit son visage dans ses cheveux, en huma le parfum floral. Ses lèvres effleurèrent son oreille, descendirent le long de sa joue, conquirent sa bouche. Leurs langues se cherchèrent, entamèrent une parade incroyablement érotique, se mêlèrent enfin.

— Tu as trop de vêtements, murmura Erin, lorsqu'ils s'arrêtèrent pour reprendre leur souffle. Si tu m'aides à sortir de cette robe, je t'aiderai à t'en débarrasser.

Avec un éclat de rire, Peter la fit pivoter et entreprit de la déshabiller. Sa robe glissa sur ses hanches dans un murmure satiné, et il se raidit en apercevant la courbe de ses fesses. Un porte-jarretelles soulignait la finesse de ses hanches, et il dut compter mentalement jusqu'à dix pour garder un semblant de contrôle sur lui-même.

D'une main fébrile, il défit ensuite sa cravate. Erin l'aida à déboutonner sa chemise, tremblant tout autant que lui. Contrairement à leur première nuit, aucun des deux ne voulait prendre son temps, jouer avec le désir de l'autre. Il ne s'agissait plus d'un voyage de découverte, d'exploration. Ils étaient dans l'urgence, la possession, la passion pure.

Lorsqu'ils furent enfin nus, Peter la transporta jusqu'au lit. Ils s'y effondrèrent ensemble, enlacés, et Erin noua ses jambes autour de sa taille, l'invitant à plonger en elle sans plus attendre.

Il obéit.

Elle cria de plaisir, enfonça ses ongles dans la peau de son dos. Mais Peter ne sentit pas la douleur.

Ils bougèrent à l'unisson, haletant d'excitation, tentant de repousser les limites de l'extase qui se refermait sur eux. Peter exultait. Il faisait l'amour à sa femme. Et l'intensité de cette expérience dépassait tout ce qu'il avait connu.

Il sentit un long spasme parcourir le corps d'Erin. Elle cria son nom, et il s'abandonna à son tour en elle. Puis ils s'affaissèrent, toujours dans les bras l'un de l'autre, le souffle court.

Combien de temps restèrent-ils ainsi mêlés, à s'embrasser ? Peter n'aurait su le dire. Le temps n'importait plus. Il était heureux d'être avec Erin, heureux de la sentir heureuse.

— Je suppose que nous ferions bien de rejoindre nos invités, remarqua-t-elle avec un sourire.

Peter grogna. Il avait presque oublié la soirée. Et une partie de lui était tentée de rester là, son épouse lovée contre lui.

Mais ils avaient toute la vie pour être ensemble. Ce soir, ils partageaient leur bonheur avec leurs proches.

— Tu as raison, dit-il enfin. J'ai envie de danser avec toi.

— Notre première danse en tant que jeunes mariés…

Peter sentit l'émotion lui serrer la gorge. Il était l'homme le plus chanceux du monde.

*
* *

La photographie officielle du jeune couple, publiée le lendemain, les montrait en train de danser. Les yeux dans les yeux, ils souriaient. Nul ne pouvait douter, en les voyant, que Peter Ramsey et Erin Lavelle étaient très amoureux l'un de l'autre.

13.

Los Angeles, quatorze mois plus tard…

Une foule de fans se pressait derrière les barrières, le long de la file de limousines qui déposaient les stars venues assister à la remise des oscars. Erin se rappelait le même enthousiasme lors de la première des *Chevaux mythiques de Mirrima*, quatre mois plus tôt.

L'idée que l'on puisse attendre des heures dans l'espoir d'entrevoir une célébrité l'étonnait toujours. Il y avait beaucoup d'enfants parmi la foule, sans doute venus pour elle.

Avant d'épouser Peter, elle avait détesté cela. Mais il lui avait appris à ne plus avoir peur du public.

« Sois toi-même. Dis-toi que tu vas illuminer la journée de beaucoup de ces gens. Comme un arc-en-ciel. »

Elle avait même accepté de faire quelques interviews pour promouvoir le film. Elle s'en était bien tirée, parce qu'elle avait suivi les conseils de son mari : elle n'avait répondu qu'aux questions relatives au film, et éludé celles concernant sa vie privée.

« Dans une interview, tu dois prendre le contrôle. C'est toi qui décides à quoi répondre. Pas eux. »

Peter était très doué à ce jeu-là. Grâce à lui, elle affrontait maintenant sans crainte des situations qui, par le passé, lui auraient fait prendre ses jambes à son cou.

Elle n'était plus seule. Il était là pour la protéger. Et

c'était un protecteur intimidant, que bien peu osaient contrarier.

— La seule différence entre toi et moi, Erin, c'est que j'ai appris à contrôler tout ce cirque médiatique. Je ne me laisse pas faire.

La critique avait porté, et Erin avait protesté :

— Mais je n'aime pas ça. Je n'aime pas être exhibée comme un trophée, ni susciter des sentiments aussi extrêmes que la jalousie ou l'adoration. Je veux qu'on me traite comme une personne normale.

— Bien sûr. Mais, en fuyant, tu fais exactement l'inverse de ce que tu recherches. Tu perds le contrôle. Et tu m'as dit toi-même que tu détestais ça. Je suis là pour t'aider à faire face à tous ces journalistes. Avec moi, tu n'as rien à craindre.

Elle se tourna vers son mari et lui sourit. Il avait tenu sa promesse. Il avait fait d'elle une personne plus assurée. Il l'avait tirée de l'isolement de sa tour d'ivoire et lui avait fait découvrir un monde qui, après tout, n'était pas si effrayant.

— Ça va ? demanda-t-il en lui prenant la main. Toute cette foule ne t'angoisse pas trop ?

— Non. C'est une grande occasion. Je suis heureuse de la partager avec eux. Et puis, je n'ai peur de rien avec toi.

— Tu vas leur couper le souffle lorsqu'ils vont te voir.

Erin se mit à rire. Pour une fois, elle s'était laissé habiller. Peter avait fait créer une tenue spécialement pour elle, une magnifique robe de satin vert, complétée par un collier d'émeraudes et des boucles assorties.

— C'est grâce à toi, Peter. J'ai l'impression d'être une princesse.

— Tu *es* une princesse, Erin. Et tu le seras toujours à mes yeux.

La limousine s'arrêta enfin, et on leur ouvrit la porte.

Les cris de la foule s'engouffrèrent dans l'habitacle, portés par une bouffée d'air chaud.

— Que le spectacle commence ! s'exclama Peter.

Un océan de caméras et de flashes les accueillit. On cria leur nom. Ils furent interviewés, signèrent des autographes. Erin sourit et s'exécuta gracieusement.

Ils furent enfin introduits dans l'auditorium et prirent place à côté de Zack Freeman et de sa ravissante femme, Catherine. Erin et elle étaient devenues amies, durant le tournage, et elles s'étreignirent affectueusement.

La cérémonie se déroula comme dans un rêve mais, à l'annonce de la remise de l'oscar du meilleur film d'animation, Erin se sentit prise d'un regain de nervosité.

Des extraits de chaque film furent projetés, et son cœur s'emballa lorsqu'elle vit le sien : le roi-guerrier de Mirrima invoquant ses chevaux ailés pour sauver ses hommes, emprisonnés au sommet d'une montagne par leur ennemi. Les chevaux étaient magnifiques, incroyablement réels. Erin était très fière du film, qu'il gagne ou non.

— Et le vainqueur est…

Elle retint son souffle…

— *Les Chevaux mythiques de Mirrima*. Réalisé par Zack Freeman, produit par Peter Ramsey, écrit par Erin Lavelle.

Tous trois bondirent de leurs sièges et s'étreignirent. Puis ils se dirigèrent vers la scène sous les applaudissements, bras dessus, bras dessous. Erin était ravie d'être encadrée par les deux hommes, car elle n'était plus très sûre que ses jambes pouvaient la porter tant elle était émue.

Zack, en habitué, reçut la statuette dorée et fit une allocution charmante, pleine d'humour et de reconnaissance. Lorsqu'il eut fini, quelqu'un dans la foule cria « Erin Lavelle ! ».

D'autres reprirent son nom telle une incantation. L'animateur sourit à Erin et lui fit signe de prendre le micro. Pétrifiée, elle ne bougea pas.

— Vas-y, lui chuchota Peter en riant.

— Mais je n'ai rien préparé ! protesta-t-elle, paniquée. Ce n'était pas prévu !

— Aucune importance. Parle avec ton cœur.

Peter la poussa gentiment vers le podium. Erin s'avança, prit le micro d'une main tremblante. Des milliers d'yeux étaient braqués sur elle. Des millions, si elle songeait aux retransmissions télévisées !

« Parle avec ton cœur... »

— Merci, merci à tous, commença-t-elle lentement, cherchant les mots justes.

Les applaudissements s'arrêtèrent, et le silence se fit dans l'auditorium.

— C'est... c'est une chose merveilleuse pour un écrivain que de voir son univers prendre vie. Je remercie Zack Freeman pour l'avoir fait avec tant de talent. Mais je voudrais plus particulièrement remercier mon mari, Peter Ramsey, sans qui le film n'aurait pas existé. Je ne le lui ai jamais dit, mais, pendant que j'écrivais *Les Chevaux mythiques de Mirrima*, je pensais beaucoup à lui, et il m'a servi de modèle pour créer le roi-guerrier de Mirrima. J'aime ce film...

Elle se tourna vers Peter, émue, et ajouta :

— ... et j'aime cet homme. Il est le roi de mon cœur, et le sera à tout jamais.

Puis elle fit de nouveau face au public, et conclut avec un grand sourire :

— Voilà. C'est tout ce que je voulais dire.

Un tonnerre d'applaudissements éclata. Erin rendit le micro à l'animateur et dut se retenir pour ne pas s'enfuir. Peter la prit par l'épaule, une lueur de fierté dans le regard.

— Et tu es la reine de mon cœur, lui susurra-t-il à l'oreille, tandis qu'ils regagnaient leurs fauteuils.

Elle sourit, plus heureuse que jamais.

Elle avait eu raison de croire aux contes de fées.

Sa vie en était un, désormais.

Du nouveau dans
votre collection *Azur*

Découvrez la nouvelle saga

La
Fierté des
Corretti
PASSIONS SICILIENNES

Magnats de la presse, impitoyables hommes d'affaires ou artistes renommés, les Corretti règnent en maîtres incontestés, de Palerme à Syracuse, depuis des générations.
Aujourd'hui, leur arrogance, les scandales, ainsi que de terribles secrets de famille, menacent de précipiter leur chute et de sonner le glas de cette prestigieuse dynastie.

Et si seul l'amour avait le pouvoir de sauver les Corretti ?

8 romans à découvrir à partir d'AVRIL 2014.

Rendez-vous dans vos points de vente habituels ou sur
www.harlequin.fr

éditions **H HARLEQUIN**

collection *Azur*

Ne manquez pas, dès le 1er avril

PIÉGÉE PAR LE DÉSIR, *Kelly Hunter* • N°3455

Lorsque son meilleur ami et associé lui propose un mariage de convenance afin de pouvoir toucher son héritage — un héritage qui leur permettra de financer l'ambitieux projet qu'ils ont pour leur petite entreprise —, Evie n'hésite guère avant d'accepter. Hélas, à peine a-t-elle franchi le seuil de la maison dans laquelle se déroulera leur fête de fiançailles, qu'elle sent son sang se glacer. Car l'homme qui la foudroie du regard et qu'on vient de lui présenter comme le frère de son futur époux, n'est autre que Logan Black. L'homme avec lequel elle a vécu une aventure tumultueuse et passionnée dix ans plus tôt. L'homme qu'elle a tout fait pour oublier sans jamais y parvenir...

RENDEZ-VOUS AVEC UN PLAY-BOY, *Carole Mortimer* • N°3456

 Quand elle apprend que sa belle-mère a vendu Bartholomew House, Gemini est furieuse. Non seulement cette décision lui brise le cœur, mais elle la remplit d'un profond sentiment d'injustice : son père ne lui avait-il pas promis de lui léguer la demeure familiale où elle a passé toute son enfance ? Aussi est-elle déterminée à convaincre le nouveau propriétaire de Bartholomew House, Drakon Lyonedes, un homme d'affaires aussi séduisant qu'implacable, de lui revendre la maison. Mais lorsque Drakon lui propose d'en discuter autours d'un dîner en tête-à-tête — chez lui... — Gemini sent la panique l'envahir. S'il entreprend de la séduire, saura-t-elle résister et rester concentrée sur son objectif : sauver son héritage ?

AU BRAS DE SON ENNEMI, *Caitlin Crews* • N°3457

Comment a-t-elle pu être assez stupide pour se laisser embrasser, publiquement, par Ivan Korovin, le célèbre acteur qu'elle a décrit dans son livre comme un homme sans morale et sans scrupules ? Pire, elle s'est littéralement *abandonnée* à son baiser ! Si Miranda ne veut pas perdre toute crédibilité et voir sa carrière détruite, elle va devoir accepter le marché que lui propose Ivan : elle l'aidera à réhabiliter son image en jouant, elle sa plus farouche ennemie, la comédie de l'amour devant les caméras ! En échange, il lui confiera tout ce dont elle a besoin pour écrire un nouveau best-seller. Mais bientôt, Miranda doit se rendre à l'évidence : elle va avoir bien du mal à maîtriser ce qu'elle ressent face à cet homme qu'elle croyait détester...

L'ENFANT D'UNE SEULE NUIT, *Chantelle Shaw* • N°3458

Céder à la passion entre les bras de Drago Cassari, cet homme aussi troublant que ténébreux ? Jess n'aurait pu commettre pire erreur, elle le sait. N'avait-elle pas juré de se protéger des séducteurs dans son genre ? Mais, quand elle découvre, quelque temps plus tard, qu'elle est enceinte après cette brûlante nuit d'amour, Jess comprend que sa situation est bien plus terrible qu'elle ne le pensait. Car Drago ne voit en elle qu'une aventurière. Pire, il semble la croire coupable d'avoir volé une importante somme d'argent à sa famille. Dans ces conditions, comment imaginer un avenir avec cet homme qui ne dissimule rien du mépris qu'il a pour elle ?

LE PRIX DE LA PASSION, *Trish Morey* • N°3459

Luca Barbarigo. L'homme qui l'a cruellement rejetée trois ans plus tôt, après une nuit d'amour aussi magique qu'inoubliable… et qui tient aujourd'hui le destin de sa famille entre ses mains. Si elle veut éviter à celle-ci la ruine et la honte, Valentina doit en effet convaincre Luca d'effacer les dettes de sa mère. Mais lorsqu'il lui annonce ses conditions, elle sent son sang se glacer. C'est elle qu'il veut, dans sa vie et dans son lit, et pendant tout un mois. Un marché odieux, mais surtout terrifiant. Car si elle veut à tout prix aider sa famille, Valentina peut-elle pour autant prendre le risque d'avoir une nouvelle fois le cœur brisé par cet homme sans pitié ?

TROUBLANTES FIANÇAILLES, *Kate Walker* • N°3460

Du chantage ! Comment qualifier autrement l'ultimatum que Jake Taverner vient d'adresser à Mercedes ? Elle devra faire croire qu'ils sont fiancés, faute de quoi il révélera qu'elle a failli commettre l'irréparable entre ses bras. Un instant, Mercedes a la tentation de refuser : elle déteste de toute son âme ce play-boy qui n'a pas hésité à la séduire, quelques semaines plus tôt, alors qu'il était engagé auprès d'une autre femme. Mais comment le pourrait-elle, sans risquer de blesser cruellement ses parents, si attachés au qu'en dira-t-on ? A contrecœur, elle se résout donc à jouer cette odieuse comédie. Une résignation qui se change en angoisse lorsqu'elle comprend que Jake a bien l'intention de profiter de ces fausses fiançailles pour faire d'elle sa maîtresse...

UNE TENTATION INTERDITE, *Dani Collins* • N°3461

Depuis toujours, Rowan O'Brien représente le fruit défendu pour Nico. Rowan, la femme dont les traits délicats et les courbes voluptueuses hantent ses longues nuits d'insomnie, mais aussi la seule femme qui lui soit interdite. Non seulement parce que son propre père considérait Rowan comme la fille qu'il n'avait jamais eue, mais aussi parce qu'il déteste l'homme brûlant de désir et impulsif qu'il devient en sa présence. Pourtant, lorsque la mort de leurs parents les oblige à cohabiter, le temps de régler la succession, Nico sent ses résolutions vaciller. Pourquoi ne pas céder à la tentation, juste une fois, et prendre tout ce que son désir exige, avant que leurs chemins ne se séparent définitivement ?

UN SECRET ARGENTIN, *Jennie Lucas* • N°3462

 Laura est révoltée. Comment Gabriel Santos ose-t-il exiger qu'elle l'accompagne à Rio de Janeiro pour conclure une importante affaire, alors qu'elle ne travaille plus pour lui depuis un an ? A l'époque, elle avait voulu croire que leur incroyable nuit d'amour avait du sens pour lui, mais au matin, devant sa froideur, elle avait compris l'étendue de son erreur. Terriblement blessée, elle avait ensuite préféré lui cacher sa grossesse et disparaître à tout jamais. Aujourd'hui pourtant, elle n'a pas le choix. Pour élever leur fils, elle a terriblement besoin de l'argent que Gabriel lui offre pour cette dernière mission. Mais en le suivant à Rio, ne prend-elle pas un risque insensé : qu'il découvre son précieux secret ?

L'ORGUEIL D'UN SÉDUCTEUR, *Mélanie Milburne* • N°3463

- Héritières Secrètes - 1ère partie

Emilio Andreoni est abasourdi. Giselle avait une sœur jumelle ? Impossible ! Et pourtant, cela expliquerait tant de choses : ses protestations, deux ans plus tôt, lorsqu'il l'a accusée de l'avoir trompé ; ses larmes - qu'il avait alors prises pour une preuve de plus qu'elle n'était qu'une excellente actrice, déterminée à se jouer de lui – lorsqu'il a rompu leurs fiançailles et l'a chassée de sa vie à tout jamais. Aujourd'hui, Emilio a la preuve qu'il s'est cruellement trompé. Et il se jure qu'il n'aura désormais plus qu'un but : retrouver Giselle Carter, la femme qu'il a failli épouser et qui continue à hanter ses nuits. Puis, la convaincre, par *tous* les moyens, de reprendre leur relation là où elle s'est arrêtée...

CONQUISE PAR UN MILLIARDAIRE, *Carol Marinelli* • N°3464

- La fierté des Corretti - 1ère partie

Depuis qu'elle travaille pour Santo Corretti, Ella n'a plus une seconde à elle. Jour et nuit elle se tient prête à répondre à tous ses désirs. Enfin... presque tous. Car elle a toujours tenu à ce que leur relation demeure strictement professionnelle. N'a-t-elle pas vu trop de cœurs brisés par ce play-boy impénitent ? Mais aujourd'hui, alors que le scandale frappe la puissante famille Corretti, Ella découvre un autre visage de Santo. Une facette de sa personnalité qui la bouleverse si intensément qu'elle cède à la passion entre ses bras. Une expérience aussi magique que terrifiante. Car si elle ne peut être qu'une maîtresse de plus pour cet homme qui refuse tout engagement, elle sait qu'elle sera, quant à elle, marquée à tout jamais par cette nuit inoubliable...

Attention, numérotation des livres différente
pour le Canada : numéros 1882 à 1891.

www.harlequin.fr

Composé et édité par les

éditions HARLEQUIN

Achevé d'imprimer en février 2014

La Flèche
Dépôt légal : mars 2014

Imprimé en France